O líder
que Deus usa

Resgatando a
Liderança Bíblica
para a Igreja
no Novo Milênio

RUSSELL P. SHEDD

O líder
que Deus usa
Resgatando a
Liderança Bíblica
para a Igreja
no Novo Milênio

RUSSELL P. SHEDD

Tradução
Edmilson F. Bizerra

edições

VIDA NOVA

1ª Edição - 2000

Publicado no Brasil com a devida autorização
e com todos os direitos reservados por
SOCIEDADE RELIGIOSA EDIÇÕES VIDA NOVA
Caixa Postal 21486, São Paulo-SP
04602-970

Printed in Brazil / Impresso no Brasil

ISBN 85-275-0271-2

Tradução • EDMILSON F. BIZERRA

Preparação de Texto • BILLY VIVEIROS

Diagramação e Capa • EDMILSON F. BIZERRA

CATALOGAÇÃO NA FONTE DO
DEPARTAMENTO NACIONAL DO LIVRO

S5411

Shedd, Russell Philip, 1929-
  O líder que Deus usa : resgatando a liderança bíblica
para a Igreja no novo milênio / Russell P. Shedd ;
tradução Edmilson F. Bizerra. - São Paulo : Vida Nova, 2000.
128 p. ; cm.

ISBN 85-275-0271-2

Tradução de: Biblical Leadership : the leader God uses.

1. Liderança cristã - Doutrina bíblica.   I. Título.

CDD-262.1

SUMÁRIO

PREFÁCIO

O tema "liderança" tem recebido grande atenção nos últimos anos. Vários livros estão sendo lançados anualmente no português, visando abordar este complexo assunto que é, de fato, de interesse geral de todos. Contudo, contrário a literatura meramente popular, o Dr. Shedd neste livro apresenta o perfil de um líder usado por Deus, além, é claro, de uma sólida base bíblica para a liderança cristã.

Muito mais do que simplesmente fórmulas e métodos pragmáticos, o seu interesse está voltado para o cerne da verdadeira liderança: glorificar a Deus. Para que isso aconteça, a Igreja do Senhor Jesus Cristo necessita e, urgentemente, de nada menos do que líderes irrepreensíveis com o coração segundo o coração do próprio Deus. Esse, então, será um dos maiores desafios da Igreja no novo milênio.

Usar o exemplo de Jesus torna-se algo prioritário, em vez de simplesmente tomar-se emprestado, sem qualquer crítica, um modelo do mundo de negócios, como alguns líderes têm feito. As pressuposições e, principalmente, os valores da liderança secular são diferentes daqueles valores que Deus atribui e requer de seus líderes, mesmo que aparentemente haja alguma semelhança superficial.

Segundo o Dr. Shedd, o caráter do líder, o equilíbrio de sua liderança e as suas atitudes são fatores fundamentais que fazem com que uma liderança bíblica seja bem-sucedida. Assim, ele aborda cada um desses temas de forma muito estimulante.

E muito mais do que isso, o Dr. Shedd nos lembra que uma vida obediente a Deus diante dos homens, através de uma liderança bíblica, não será, necessáriamente, recompensada com riquezas ou fama, pois estas são secundárias e temporárias. Porém, a verdadeira recompensa será eterna, recebida no Céu. Naquele dia o servo ouvirá do seu Senhor: "Muito bem, servo bom e fiel"! (Mt 25:21).

Será muito difícil para um líder obediente a Palavra e sedento pela atuação de Deus através de sua vida não ser completamente benefeciado em seu ministério e desafiado em sua maneira de pensar e agir após a leitura deste livro.

Pr. Edmilson F. Bizerra

INTRODUÇÃO

*L*iderança faz a diferença, por sinal uma grande diferença, pois ela oferece direção, molda o caráter e cria oportunidades. Os efeitos da liderança começam no nascimento, mas não deixam de existir com a morte. Os pais nutrem uma pequena vida em direção a um destino, embutindo valores, alvos e objetivos. Mesmo ainda jovem em maturidade, uma forma especial de potencial é despertada em alguns. Juntamente com os genes, paternos e maternos, e a formação vêm as escolhas de Deus: alguns homens e mulheres são destinados a liderar e influenciar outros. Aqueles que Deus separa para liderar desfrutam tanto os privilégios quanto as responsabilidades. Suas influências, extensivas e efetivas, sobre outras pessoas os distinguem dos seguidores. A liderança de alta qualidade será encontrada entre os mais valiosos tesouros que qualquer comunidade ou organização possui. A liderança de baixa qualidade, ao contrário, produz um desperdício trágico e uma frustração caótica. Líderes de Deus estão sempre em falta.

Muitas pessoas mantêm a opinião que líderes nascem com um talento especial para a direção de outros. Eles são presentes de Deus para a sua igreja. Outra opinião é mantida de que líderes são feitos e moldados pela educação, experiência e circunstâncias. As oportunidades favoráveis que surgem em alguns ambientes e situações formam a prova máxima, na qual líderes adquirem seus incentivos e oportunidades. A melhor explicação une elementos das duas teorias. Deus escolhe e molda o caráter dos homens e das mulheres que ele quer para liderar seu povo, tanto pelo nascimento como pela oportunidade.

Algumas pessoas têm um talento administrativo. Naturalmente, elas almejam a liderança. A influência e o controle lhes dão uma sensação de importância. Já que cada pessoa tem uma necessidade natural de se sentir valorizada e querida, os líderes tendem a ser invejados. Contudo, seguidores devem saber que alguns líderes talentosos são uma ameaça. O caráter do líder e a qualidade de sua liderança fazem uma grande diferença no progresso e bem-estar de um grupo.

Não há discussão quanto a importância da liderança. Basta apenas pensarmos em uma sala de aula sem um professor ou professora. Através da história, Deus tem escolhido líderes que ele tem usado para dirigir e preservar seu povo. Uma comunidade sem liderança é como um corpo sem uma cabeça, ou um barco sem um leme. No momento em que a falta de liderança surge, uma organização tende a seguir alguém, ou então, se dispersar. Jesus lamentou a falta de propósito da vida de seus contemporâneos. Ele os comparou a ovelhas que não têm pastor (Mt 9.36). A tendência de um grupo sem um diretor é questionar a sua existência. Como uma flor fora do tempo, sua tendência natural é murchar e desaparecer. Onde estavam o homem ou a mulher que Deus poderia ter usado para liderar seu povo?

Dr. Anthony d'Souza, sócio-diretor da Xavier Institute of Management em Bombain na Índia, definiu liderança como: "a habilidade de controlar, gerenciar e alcançar determinados alvos por meio de pessoas". Não existe nenhuma menção de valores éticos nessa definição. Adolph Hitler levantou-se do grau de soldados comuns, e "pintor de casas", para tornar-se um dos mais poderosos homens da história. Em apenas seis anos o Fuehrer reanimou o potencial alemão, unindo seu povo e colocando expectativas tão eficientes que a "máquina-de-guerra" alemã conquistou muito da Europa e ameaçou o mundo. Nenhum cristão poderia imitar seu estilo perverso de liderança, nem seus objetivos pecaminosos. Pelo contrário, quando um líder toma as rédeas de uma nação inteira, e a direciona para fins justos, ele abençoa qualquer povo. A liderança poderosa precisa, então, procurar o benefício de todas as pessoas sobre as quais ela mantêm influência. Esta é a forma pela qual homens de Deus são usados por ele e o glorificam.

John Haggai vê liderança como: "A disciplina de deliberadamente exercer influência dentro de um grupo para levá-lo a alvos de benefício permanente, que satisfaz as necessidades do grupo".[1] Esse pensamento se encaixa bem com a perspectiva de Jesus e dos autores do Novo Testamento. O Reino precisa ser procurado e seus alvos seguidos. Aqueles que assumem a liderança abençoam e agradam seu Senhor.

Liderança cristã, mais do que outra qualquer, precisa escolher objetivos que são coerentes com a vontade e lei de Deus. A liderança positiva precisa ser exercida por um homem ou uma mulher que conheça a Deus e inclua os alvos dele. As prioridades do líder precisam ser prioridades bíblicas. Suas qualidades precisam ser aquelas que lhe dêem o nome de amigo de Deus (Jo 15.15) e de cooperador com ele (1Co 3.9). Como Paulo, sua ambição única será agradar a Deus (2Co 5.9). O apóstolo sabia que tinha sido escolhido por Deus para liderar outros, mesmo antes de seu nascimento (Gl 1.15). Deus lhe deu a responsabilidade de influenciar permanentemente outras pessoas para a glória dele.

Nosso alvo neste livro é refletir nos componentes essenciais da liderança bíblica. Por que ela é tão importante? Por que Deus escolhe líderes eficientes, em vez de pessoas sem qualificações? A quem deve ser dado o privilégio e a responsabilidade para liderar e controlar outras pessoas? Como pode a eficiência de um líder ser prognosticada? Como Jesus e os autores bíblicos entendiam a liderança? Qual treinamento é necessário para um líder, e como ele pode melhorar as suas habilidades adquiridas? Se pela leitura desse livro o leitor entender mais claramente as armadilhas e o potencial que uma liderança piedosa oferece, nosso alvo principal terá sido alcançado.

[1]John Haggai, *Lead On*, Dallas: Word Publishing, 1986, p. 4 (em português: *Seja um Líder de Verdade*, Editora Betânia).

Capítulo 1

QUE TIPO DE LÍDER DEUS USA?

Quando pensamos em um líder, nosso foco recai sobre alguém "que convence seguidores de que pode resolver seus problemas de uma forma melhor e mais eficaz do que qualquer outra pessoa". A compreensão do de que consiste a liderança, leva-nos a um indivíduo que reconhece os problemas, as dificuldades e as necessidades de um grupo. Ele ajuda a identificar o que está errado e lidera pessoas no caminho de soluções satisfatórias. Qualquer indivíduo que segue um bom líder vive confiantemente. O otimismo penetra qualquer grupo que é abençoado com uma liderança piedosa.

Um líder convence outras pessoas a segui-lo porque tem respostas e soluções. Ele sabe o caminho a seguir ou, pelo menos, convence seus seguidores de que é competente. Pouca ou nenhuma vantagem pode ser obtida pela elevação de alguém a uma posição de autoridade, se essa pessoa é nitidamente incapaz de convencer o grupo de que pode resolver seus problemas. Visto que um grupo sem líder sente-se instintivamente como se estivesse condenado, ele dará as boas-vindas a qualquer um que estiver disposto a indicar-lhe a saída. Este poderá ser um homem de Deus ou um patife ambicioso, um destruidor, ou alguém que determina o passo ideal. E será tolerado até que apareça um líder mais persuasivo. Esse tipo de líder administra precariamente em sistemas democráticos, mantendo seu poder através do medo e por ameaças. Fidel Castro talvez não tenha melhorado a vida de muitos cubanos, mas tem mostrado como o poder pode ser mantido através da força e do medo.

Para um líder guiar, precisa ter autoridade, tanto quanto um automóvel precisa de um motor para ser dirigido. Se o líder é escolhido desconsiderando-se os critérios de Deus e os valores bíblicos, o grupo e seus propósitos serão postos em perigo. Exemplo claro disso foram as trágicas conseqüências da escolha de Israel, para que Abimeleque reinasse sobre eles (Jz 9). A sua história sórdida demonstra o quão é importante fazer a escolha certa. A Bíblia oferece grandes exemplos de líderes escolhidos por Deus. Suas personalidades foram tão distintas quanto as suas faces e as suas biografias, no entanto, algumas características merecem uma consideração especial. A liderança depende de algumas qualidades e habilidades.

Exemplos Bíblicos de Homens Usados por Deus

José: Um Líder Ideal Moldado em uma Prova Severa de Rejeição

A famosa história bíblica de José apresenta-nos um homem humilde de princípios. O status de filho favorito que José tinha, em vez de fazê-lo orgulhoso e esnobe, despertou-lhe o desejo de viver à altura das expectativas de seus pais. Os sonhos que Deus dava a José convenceram-no não do fato de que ele era muito bom para servir outras pessoas mas, ao contrário, de que Deus o tinha escolhido para uma tarefa especial. Quando seus irmãos venderam-no como escravo, em vez de nutrir um espírito de autocomiseração, José, manteve sua atitude positiva. Deus duramente testou seus princípios, mas ele não vacilou. Embora a esposa de Potifar tenha tentado repetidamente seduzi-lo, José resistiu às suas investidas por causa de seu caráter bem desenvolvido. Mesmo sendo inocente, seu aprisionamento falhou na indução da ira escondida ou de um espírito vingativo. Enquanto o copeiro de faraó tinha esquecido de apelar por sua causa justa diante do rei, José continuou servindo a Deus, abnegado, na prisão. O desapontamento grosseiro diante da terrível injustiça não provocou nenhuma ferida destrutiva em seu espírito. O sofrimento desmerecido não produziu uma falta de confiança na providência de Deus.

José foi um homem tão incomum, que sua preparação, por Deus, para a liderança, pode ajudar pessoas que aspiram qualquer ministério que influencie outras pessoas. A seguir veremos algumas de suas grandes qualidades, necessárias a líderes bem sucedidos.

Destaca-se um senso de vocação indestrutível. Desde sua infância, José acalentou um senso de destino. A atenção especial do seu pai, intensificada pelos sonhos que José entendera serem dados por Deus, lançou os alicerces da responsabilidade e da maturidade. A vocação, para um cristão, é algo sério porque ele sabe que a vida não é sem propósito. Ele sabe, como José sabia, que Deus marcou a sua vida com um valor distinto. O "chamado" bíblico não concede meramente a uma pessoa o direito de regozijar-se na liberdade de escolha e no auto-desenvolvimento, mas obriga-a a beneficiar outras pessoas. Através do curso da sua vida, José nunca perdeu aquela certeza. Ele pôde confiantemente falar a seus irmãos bajuladores, que temiam por suas vidas após a morte de Jacó: "Não temais; porque, porventura, estou eu em lugar de Deus? Vós bem intentastes mal contra mim, porém Deus o tornou em bem, para fazer como se vê neste dia, para conservar em vida a um povo grande" (Gn 50.19-20). Um profundo senso do chamado de Deus para servir outros deve marcar a vida dos líderes.

Deus, depois de moldar seu servo através de muitos sofrimentos e provas, finalmente elevou José à posição de primeiro ministro do Egito. Ele foi tirado das algemas da prisão para exercer autoridade absoluta sobre todo o Egito, ao lado do próprio faraó. Ele não foi motivado pelo poder ilimitado para despejar a vingança sobre seus irmãos invejosos ou da esposa mentirosa de Potifar. Ele chorou diante de seus irmãos enquanto eles pediam seu perdão. A liderança, de acordo com os parâmetros de Deus, não pode ser contaminada com a inveja e o ressentimento.

Examinando mais profundamente a vida de José, um líder escolhido por Deus, podemos ressaltar outras qualidades marcantes, como estrelas brilhando em uma noite sem nuvens. Stogdill sugeriu que perfis psicológicos, em si mesmos, dão pouca indicação do surgimento de um líder capacitado. Porém, em resumo, a vida de José era significativamente caracterizada pelo seguinte perfil:

Primeiro, ter capacidade e potencial indiscutíveis (inteligência, atenção, facilidade de se comunicar, originalidade, julgamento). José demonstrou todas essas qualidades durante sua vida. Ambos, Potifar e o faraó, imediatamente reconheceram em José uma pessoa dotada e incomum. A confiança deles acabou sendo bem fundamentada.

Segundo, realização requer sabedoria, conhecimento e consumação. Ainda que não tenhamos qualquer idéia sobre a formação acadêmica de José, não há dúvida alguma com relação à sua habilidade de administrar o armazenamento da colheita e o seu programa de distribuição.

Terceiro, ter uma responsabilidade irrefutável (confiança, iniciativa, persistência, auto confiança, desejo de vencer). Sem ter dado atenção aos detalhes e a integridade, José raramente poderia ter manejado o imenso e complexo trabalho ordenado pelo faraó.

Quarto, ter uma participação direta (atividade, sociabilidade, cooperação, adaptação). Claramente, José tomou parte no processo de implementação de um programa nacional estabelecido para evitar a fome sobre a nação. A mudança de longos anos em uma prisão para uma alta posição governamental, requer mais do que uma pequena dose de adaptação. A sociabilidade e a cooperação foram o seu pão de cada dia. A participação direta fez com que o programa fosse bem-sucedido.

Quinto, ter um status integrado (posição socioeconômica,

popularidade). A popularidade de José em todas as esferas sociais e econômicas em que Deus o tinha colocado, brilha através das linhas da narrativa de Gênesis. Embora seja verdade que a falta de popularidade entre seus irmãos fosse gerada pela inveja destes, não houve hostilidade alguma da parte de José que encorajasse essa animosidade destes. Obviamente, líderes que carecem popularidade precisam implementar força.

Sexto, estar em uma situação ordenada por Deus (habilidade mental, experiências, necessidades e interesses de seguidores, objetivos para serem alcançados e tarefas para serem realizadas). Durante sua longa vida, José demonstrou uma habilidade incrível de manejar as tarefas a ele apresentadas. Não há sugestão alguma de que ele sentiu-se derrotado completamente pela situação que Deus colocara diante dele.

José ilustra como as circunstâncias e as capacidades para liderar combinam-se na formação de líderes marcantes. Como Stogdill escreveu: "A evidência forte indica que habilidades diferentes de liderança e as peculiaridades são exigidas em situações diferentes. Os comportamentos e as peculiaridades que capacitam um criminoso para ganhar e manter o controle sobre uma quadrilha não são as mesmas que capacitam um líder religioso para formar e manter um grupo de seguidores. Contudo, algumas qualidades gerais como a coragem, a firmeza e a convicção parecem caracterizar ambos".[2]

Notavelmente sociável e articulado, José atraiu atenção, independentemente de sua posição servil, como escravo na casa de Potifar. Que outra razão teria uma pessoa de alta-classe, esposa de um oficial, para seduzi-lo? Sua adaptabilidade brilha durante toda a narrativa de Gênesis. Como um escravo em uma casa, como um prisioneiro na cadeia ou como

---

[2]Ralph M. Stogdill, *A Handbook of Leadership: A Survey of Theory and Research* New York: Free Press, 1981, citado em in A. D'Souza, *Being a Leader*, Singapore: Haggai Institute, 1986, p. 14, 15.

o primeiro ministro do país, José conduziu as suas responsabilidades naturalmente. Ele deu a impressão de que havia sido especialmente treinado para as diversas atividades que realizara. Sua responsabilidade brilha adiante, como um diamante polido no meio de seixos.

Em todas as tarefas que era obrigado a fazer, ele sempre inspirava confiança. José foi elevado ao topo por causa da peculiaridade de seu caráter. Desse modo é que um líder deve demonstrar sua capacidade. Ele pode confiantemente levar adiante as responsabilidades pesadas pertinentes à liderança.

Sua auto confiança não deve ser entendida como mera segurança de que ele poderá realizar com êxito qualquer exigência que for posta diante dele. José foi mais do que um administrador habilidoso e capacitado. Ele demonstrou em sua conduta que era um homem que tinha completa confiança em Deus. Paulo descreveu essa atitude assim: "Tudo posso naquele que me fortalece" (Fp 4.13). Um líder piedoso precisa possuir este tipo de atitude, não em si mesmo, mas naquele que é totalmente confiável: Deus. José foi elevado ao topo por causa de qualidades marcantes que um bom líder necessita ter.

Moisés: um Homem Preparado e Usado por Deus

O potencial da liderança de Moisés teve origem na criatividade de sua família (Hb 11.23). Quando recusara aceitar o status de neto do Faraó, ele demonstrou firmeza e convicção (v.24). Ele escolheu ser maltratado e alienado, em vez de permanecer no conforto e na segurança do palácio. Moisés expressou sua segurança pessoal de um homem que reconhecera que Deus o tinha separado à parte para uma missão especial (vv. 25,26). Sem medo perante a ira do rei, nem imprudência, demonstrou fé nas promessas de Deus, as quais o mantiveram cativo a Deus e seus propósitos por quarenta anos no deserto. Deus testou a paciência de Moisés severamente, enquanto assistia sua vida mergulhando nas areias do deserto, aparentemente, sem nenhum alvo desafiador ou resultados marcantes que pudessem virar história. Quando Deus, finalmente, o chamara para abandonar o pastoreio das ovelhas do seu sogro, para assumir uma posição ímpar de pastor da nação de Israel e libertar o povo do cativeiro, Moisés tentou escapar dessa responsabilidade. Deus superou sua relutância natural, devido ao seu impedimento de falar, para que, por fim, ele comunicasse bravamente a vontade de Deus ao Faraó, ainda que naquele momento isso pudesse custar sua própria vida.

Moisés demonstrou incríveis qualidades de liderança durante os quarenta anos de jornada pelo deserto. A paciência, a preocupação pela glória de Deus e a perseverança são as qualidades que especialmente se sobressaem. Quase que com a mesma importância foram a sua coragem perante o perigo, a sua criatividade perante a rebeldia e a sua mansidão diante de tribulações. Todos esses elementos de liderança de alta qualidade são manifestos em Moisés. Sua fama, depois de milhares de anos, eleva-o ao nível de um dos mais extraordinários líderes de todos os tempos.

A atual análise de liderança mostra que as excelentes qualidades que Moisés apresentara são tão necessárias hoje quanto elas foram três mil anos atrás. Alguns líderes desenvolvem certos valores de âmbito pessoal. Por exemplo, James J. Cribbin enfatizou a seguinte lista de traços:[3]

A. **Desempenho Atual:** É a habilidade de desempenhar bem as funções na posição atual que uma pessoa se encontra. Moisés recebeu o melhor treinamento e educação disponível no Egito. Como pastor das ovelhas de Jetro, ele foi completamente confiável.

B. **Iniciativa:** É a habilidade de ser um "auto-iniciador". Moisés tomou sua posição ao lado dos rejeitados escravos hebreus contra o mestre-de-obra egípcio que batia em um companheiro hebreu. Caso não tivesse a

---

[3] D'Souza pode nos ajudar nesse ponto (p. 15-16).

fibra de um líder, certamente, Moisés não poderia ter escolhido se identificar com os oprimidos e ter assassinado o opressor (Ex 2.12-13).

C. **Aceitação:** É a habilidade de ganhar respeito e vencer a confiança de outras pessoas. Moisés levantou a questão de aceitação pelos israelitas desde o começo. Ele sabia que quarenta anos passados no deserto do Sinai, tomando conta de ovelhas, não era a experiência que a maioria consideraria como algo essencial à liderança (Ex. 3.11). Deus usara de pragas e da função mediadora de Moisés, infligindo aqueles julgamentos milagrosos, para ganhar o respeito dos egípcios e também o dos israelitas.

D. **Comunicação:** É a habilidade de articular claramente o propósito e os alvos do grupo. Embora Moisés acreditasse que não tinha eloqüência, tendo sido afligido com uma "boca pesada" (Ex 4.10) durante o curso de sua vida, ele exibiu uma habilidade de comunicação incomum. A habilidade "de ter acesso" às pessoas em vários níveis precisa fazer parte das funções de um líder. Em várias ocasiões, Moisés teve que responder às murmurações e as incredulidades dos israelitas com argumentos válidos e decisões persuasivas. Mais importante ainda, ele foi especialmente perito em comunicar-se com Deus. Considere a exposição do autor da conclusão de Deuteronômio: "Nunca mais se levantou em Israel profeta algum como Moisés, com quem o SENHOR houvesse tratado face a face" (Dt 34.10). Um homem de oração é a exigência básica para a liderança cristã.

E. **Análise e discernimento:** É a habilidade de alcançar conclusões idôneas baseadas na evidência. Moisés julgou corretamente a criação do bezerro de ouro, e a sua adoração, como repúdio a Deus. De alguma forma, Arão não demonstrou a habilidade para analisar o pedido da liderança israelita. Sua análise foi tristemente prejudicada pela falta de discernimento, de tal forma, que coincidiu com os desejos deles sem qualquer reação negativa (Ex 32.1-6). Como um líder deficiente, Arão trouxe destruição à nação. O resultado foi o caos espiritual, e milhares morreram como conseqüência.

F. **Realização:** É a quantidade e a qualidade de trabalho produzido através do uso efetivo do tempo. Mais uma vez Moisés se sobressai nessa categoria. Foi ele que, não somente liderou o povo para fora do Egito, mas também, deu a Lei, o tabernáculo e as cerimônias pelas quais Israel tinha que se aproximar de Deus e conhecer a sua vontade.

G. **Flexibilidade:** É a habilidade de adaptar-se a mudanças e de ajustar-se ao inesperado. De um príncipe honrado na corte do faraó, a um pastor insignificante no Sinai, até um porta-voz de Deus e líder de uma nação, Moisés demonstrou tremenda adaptabilidade. Sua humildade ímpar o fez verdadeiramente maleável nas curvas e travessas do caminho que Deus colocara perante ele.

H. **Objetividade:** É a habilidade para controlar sentimentos pessoais, uma mente aberta. A reação de Moisés, à sugestão de Deus que ele haveria de destruir Israel da face da terra e fazer de Moisés uma grande nação, demonstra como este era destituído de sentimentos pessoais e de ambições orgulhosas (Ex 32.11-13). Uma breve reflexão mostrará que cada uma dessas oito características foram refletidas na liderança de Moisés.

Um estudo supervisionado pelo Fuller School of World Mission em Pasadena, na Califórnia avaliou 900 líderes de igrejas do passado e do presente, na esperança de descobrir quais os comportamentos básicos que melhor podiam explicar sua eficiência. A primeira convicção desses líderes afirma que eles acreditam que a autoridade espiritual é um princípio básico do poder espiritual. Já que o impacto de uma vida flui do poder espiritual de um homem, é necessário esclarecer que aqueles que têm melhor servido a Deus são aqueles que têm vivido em relacionamento mais íntimo com ele. Moisés alimentou sua intimidade com Deus através da oração, da comunhão e da obediência.

Sabemos muito pouco sobre a mãe de Moisés para tecermos comentários sobre o seu impacto na vida do filho. Podemos ter certeza, porém, que sua criatividade, livrando a vida de seu filho (Ex. 2.3,4), e a coragem que ela demonstrou aceitando a responsabilidade de criá-lo para a princesa egípcia, foram fatores primordiais na formação do caráter de Moisés. Será que podemos justificar a criação de um paralelo entre a mãe de Moisés e Susanna Wesley que teve um impacto no mundo através da influência que ela exerceu nos seus filhos, John e Charles Wesley, os fundadores do Metodismo do século XVIII, na Inglaterra?

Os segredos da criação dos filhos de Susanna foram resumidos da seguinte forma:

1. Ela ensinou autoridade, pela sua reverência.
2. Ela ensinou domínio, pela sua satisfação.
3. Ela ensinou sucesso, pela sua criatividade.
4. Ela ensinou sofrimento, pela sua tolerância.
5. Ela ensinou responsabilidade, pela sua regularidade.
6. Ela ensinou disciplina, pela sua bondade.
7. Ela ensinou liberdade, pela sua lealdade.
8. Ela ensinou planejamento, pela sua determinação.
9. Ela ensinou propósito, pela sua fé.
10. Ela ensinou liderança, pela sua iniciativa.
11. Ela ensinou vitória, pelo amor.
12. Ela ensinou domínio, pela sua segurança.
13. Ela ensinou liberdade, pela sua virtude.
14. Ela ensinou responsabilidade, pela sua firmeza.
15. Ela ensinou alegria, pela sua alegria.

É verdade que não podemos saber completamente como a mãe de Moisés demonstrou essas virtudes. Porém, podemos ter uma idéia de que as qualidades que o escolhido de Deus apresentara durante os quarenta anos de exaustivos desafios e tribulações, foram instiladas por um tipo de retaguarda que ele e os Wesleys receberam. Os primeiros sete anos de vida de uma criança são os mais cruciais na formação da sua personalidade.

Será que as mães estão instilando qualidades de caráter bíblico em suas crianças? Qual a influência que a televisão e os filmes têm em nossos jovens? Será que eles estão sendo moldados para o serviço de Deus, líderes que guiarão a Igreja e as organizações cristãs para o próximo milênio de forma bem-sucedida?

Davi: um Homem Humilde de Coragem e Determinação

Davi irradia-se das páginas das Escrituras como um modelo de liderança hábil. Mesmo antes de alcançar a idade normal de maturidade, bravamente desafiou um urso ou um leão para recuperar uma ovelha de sua boca (1Sm 17.35). Com coragem inspirada pela fé no Deus Todo-Poderoso, Davi pediu o privilégio de lutar com Golias. Embora não tivesse experiência de batalha, nem treinamento especial, sentiu a confiança que somente Deus dá para aqueles que ele seleciona para carregar o seu estandarte e enfrentar a morte que o ameaçava. Combinado com uma aparente coragem imprudente, podemos encontrar em Davi um homem que elevou sua lealdade de rei ungido de Deus para um nível raramente visto. Não importa que Saul fora tão instável quanto a água, ou que mentira constantemente por causa de seu medo invejoso e infundado de que Davi estava conspirando para derrubá-lo. Mesmo sabendo que Deus o tinha escolhido para substituir Saul como rei, Davi, ainda sim, apoiou o líder constituído da nação.

Davi repetidamente demonstrou versatilidade nos anos que fugira e escondera-se da ira mortal do rei Saul. Quer evitando a fome, comendo o pão da Presença (1Sm 21.1-9), fingindo loucura na presença de Áquis em Gate ou cortando um pedaço da orla do manto de Saul para provar que não tinha nenhuma intenção má, Davi consistentemente inspirou confiança em seus seguidores e à nação, como um todo.

Uma dose impressionante de humildade coexistiu com a coragem e a determinação de Davi. Quando a notícia da morte de Saul o alcançou, ele deu um exemplo de tristeza genuína em seu ato, rasgando suas vestes, pranteando, jejuando e chorando por seu inimigo caído. Quando o profeta Natã repreendeu seus pecados de adultério e assassinato, não reagiu em fúria e autodefesa, mas com uma convicção de coração partido e de arrependimento. O Salmo 51 revela como Davi sentiu profundamente as feridas de sua consciência. Qualquer líder que é inclinado a arrepender-se superficialmente não é digno de sua posição como um modelo exemplar. Davi amou intensamente seu filho Absalão, mesmo depois da desprezível rebelião que ele levantara contra seu pai. Joabe sabia que Absalão não merecia viver, mas intensifica a aflição de Davi diante da notícia de que o seu filho rebelde estava morto. O poder e a fama não fizeram Davi insensível às outras pessoas.

Davi deu valor à justiça. Considere a maneira que ele desafiou a prática de distribuição dos despojos da batalha entre os homens. Ele se assegurou de que os homens fracos recebessem um montante igual e justo.

Robert Clinton desenvolveu idéias novas em relação à forma pela qual Deus desenvolve líderes segundo o seu próprio coração. Eles são padrões que descrevem uma idéia geral, providenciando uma estrutura, um tipo de esboço da vida de uma pessoa.

Primeiro, de significado especial, são os traços da personalidade que fazem uma pessoa ser o que ela é. Alguns traços são natos, e outros são formados através da disciplina familiar e da transferência de valores.

Segundo, são os processos que movem uma pessoa ao decorrer de sua vida. Os eventos, as pessoas e as circunstâncias afetam as atitudes e produzem reações que as pessoas desenvolvem desde o nascimento até a morte. Enquanto uma pessoa amadurece, ela aprende através da experiência e da reflexão. A leitura, o estudo e a discussão afetam no processo que transforma um jovem imprudente em um líder respeitado. Paulo adverte Timóteo para não ordenar um irmão que seja "neófito, para não suceder que se ensoberbeça e incorra na condenação do diabo" (1Tm 3.6). Quando o processo necessário de testes e de tropeços da vida são bem sucedidos, um líder em potencial pode mover-se ao serviço sem colocar em perigo a vida do grupo.

Finalmente, é preciso considerar os princípios, isto é, as verdades fundamentais que servem como as raízes de uma árvore ou os alicerces de um edifício, mantendo-o firme em tempestades e terremotos. O pastor Warren Wiersbe, antigo pastor da Moody Church em Chicago, e autor bem conhecido, escreveu o seguinte sobre princípios: "Em relação à única coisa que eu me lembro de uma das minhas aulas de seminário é uma estrofe de uma poesia que um professor cansado apresentou no meio de uma aula monótona:

'Os métodos são muitos,

e poucos os princípios.

Os métodos sempre mudam,

mas nunca os princípios'.

Aquela convicção levou-me a uma vida incessante à busca de princípios, as verdades fundamentais que nunca mudam, mas sempre têm um novo preceito atrás deles. Aprendi avaliar homens e ministérios baseado nos princípios que os motivaram, e também baseado no fruto que eles produziram".[4]

Uma liderança sem princípios é como um navio sem bússola. Liderança sem o processo de experiência é como um navio sem o capitão. Liderança sem um padrão é como um navio sem um destino ou porto seguro.

Davi demonstrara o padrão da sua vida nos Salmos. Como um exemplo, veja suas palavras: "Ó Deus, tu és o meu Deus forte; eu te busco ansiosamente; a minha alma tem sede de ti; meu corpo te almeja, como

---

[4]Warren Wiersbe, *"Principles"* in Leadership Magazine, Winter, Vol. 1, no. 1, 1980, p. 81, citado em J. R. Clinton, *The Making of a Leader*, Colorado Springs: Navpress, 1988, pp.42, 43).

terra árida, exausta, sem água. Assim, eu te contemplo no santuário, para ver a tua força e a tua glória" (63.1-2). A inclinação de seu coração repousava-se em Deus. Esta foi sua disposição, um ardente almejo da intimidade com Deus, que é refletido em muitos Salmos compostos por Davi.

A biografia bíblica de Davi revela o processo pelo qual Deus elevou esse jovem a uma estatura de proeminência mundial. Nos olhos de seu pai era improvável que Davi se tornasse um líder da nação, tanto que Samuel teve que perguntar a Jessé se ele não tinha outro filho que Deus pudesse indicar como sua escolha. Não havia nem passado por sua mente que Davi pudesse vir a ser ungido como o futuro rei de Israel (1Sm 16.11-13).

O desempenho de Davi sobre a nação foi um modelo criado pela sabedoria e poder aplicados ao governo. Entre os princípios proeminentes exemplificados por Davi, o primeiro que podemos fazer menção é integridade, incluindo as virtudes de honestidade e de veracidade. Enquanto Saul tinha como características pessoais a desonestidade e a insegurança, Davi, desde a sua mocidade, buscava vencer a tentação da hipocrisia e duplicidade. Spurgeon estava certo quando disse a seus alunos ministeriais: "Um ministro de Cristo deve ter sua língua, seu coração e suas mãos em concordância".[5]

Segundo, a confiabilidade, uma faceta da integridade, caracterizava-o. Davi fez da confiabilidade, uma regra para sua vida para cumprir suas promessas. Lembre do caso de Mefibosete, filho de Jônatas, que recebeu de volta toda a terra que pertencia a Saul, e comeu na mesa do rei (2Sm 9.7). Nestes dias em que manter promessas não é mais considerado uma obrigação solene, as ações de Davi desafiam os cristãos de hoje a terem responsabilidade.

---

[5]C. H. Spurgeon, *Lectures to My Students*, G. Rapids: Zondervan, 1972(em português: "Lições aos Meus Alunos", São Paulo, PES), citado por P. Borthwick, op. cit. p. 27.

Terceiro, observe o princípio de justiça. O insensato Nabal quase perdera sua cabeça por não reconhecer que a liderança de Davi baseava-se em um senso vital de justiça (1Sm 25), em vez de subornos, favoritismos e "panelinhas". O general Joabe, que servira Davi tão habilmente nas batalhas, mas que pecava na falta deste princípio crucial de orientar sua vida pela justiça, finalmente perdeu sua vida como uma conseqüência da falta de justiça.

Quarto, note o princípio de humildade que fez de Davi um homem segundo o coração de Deus. Quando três dos seus valentes romperam pelo arraial dos filisteus para tirar água da cisterna que estava junto à porta de Belém, para que Davi bebesse, Davi não bebeu da água (2Sm 23.15-17). Como um grande líder como foi, Davi não se considerou digno de beber da água que foi tirada com o risco de vida para satisfazer seu desejo caprichoso da água especial de Belém.

Conclusão

Muitos outros exemplos de princípios de liderança poderiam ser extraídos das histórias da vida de homens proeminentes do Antigo Testamento. Porém, esses exemplos apresentados devem ser suficientes para destacar o significado do caráter e da maturidade espiritual nas vidas daqueles que Deus escolhera para servi-lo como líderes. As circunstâncias de hoje são radicalmente diferentes daquelas que envolviam a vida de José, Moisés e Davi, mas, os princípios e verdades que governaram suas ações e atitudes, ainda podem ser mantidas como verdadeiras para os dias de hoje.

Capítulo 2

A Seleção dos Líderes que Deus quer Usar

Qualquer processo humano de seleção apresenta defeitos, até fracassos ocasionais. As críticas ao técnico da seleção brasileira que representou o Brasil nas finais da Copa do Mundo de Futebol da França provam que, mesmo nos esportes, o melhor homem, para aquela função, não tem o apoio de todos os torcedores do time o tempo todo. Em assuntos de importância eterna, a descoberta e a seleção do melhor líder para uma igreja ou uma organização pode ser um trabalho agonizante e paralisador. O desafio deste capítulo tem como foco os importantes passos no processo de seleção e nas características e personalidades que devem ser procuradas em um líder.

Procurando um Homem com o Coração de Deus

O primeiro passo concentra-se na oração. Em oração, uma pessoa espera em Deus para indicá-la quem ama ao Senhor e verdadeiramente deseja uma vida de intimidade com ele. Da multidão de discípulos que seguiram Jesus foi importante selecionar doze para aprender com ele e sair para pregar (Mc 3.14). Jesus investiu uma noite inteira em oração antes de escolher os doze homens que se tornariam apóstolos (Lc 6.12).

Os onze apóstolos oraram para Deus intervir na seleção do sucessor de Judas (At 1.24-26). Foi durante o período de oração e jejum dos principais líderes da Igreja em Antioquia que o Espírito Santo disse: "Separai-me, agora, Barnabé e Saulo para a obra a que os tenho chamado" (At 13.2-3). É provável que a seleção de Timóteo para liderar a Igreja depois que os anciãos tinham imposto suas mãos sobre ele e profetizado, foi acompanhada de oração de fé (1Tm 4.14).

Procurando um Homem Aprovado

Se um líder causou problemas em sua posição anterior, somente uma evidência muito forte, indicando uma mudança para melhor, será o sinal de uma boa escolha. Uma denominação evangélica no México colocou como regra para a ordenação vários passos necessários para o pastorado. Somente os homens que tivessem cruzado, de forma bem-sucedida, esses passos passariam pela ordenação. Os passos são os seguintes: 1) Se um jovem alegasse ter recebido o chamado ao ministério, ele seria solicitado a investir um ano evangelizando e distribuindo folhetos evangelísticos. 2) Se ele demonstrasse certa habilidade em convencer pessoas a considerarem Cristo, ele, então, seria solicitado a começar uma congregação ou um ponto de pregação. Se ele fosse bem sucedido em trazer um grupo de pessoas para regularmente adorar a Deus e ouvir a sua Palavra, ele poderia prosseguir ao terceiro passo. 3) Ele seria solicitado a servir como assistente de um pastor. Assim, poderia aprender não somente os segredos de um ministério bem sucedido, como também, o pastor poderia avaliar sua atitude de servo por um ano. 4) Com a confirmação do pastor, ele era, então, obrigado a completar o curso de seminário ou escola bíblica. 5) Após o término bem-sucedido dos seus estudos teológicos, ele seria submetido a uma série de três dias de perguntas feitas por pastores. Se estes finalmente ficassem convencidos de que ele tinha as qualidades e o conhecimento necessário para o pastorado, eles recomendariam a ordenação do candidato.

Observe as vantagens que esse método de seleção tem sobre a forma normalmente utilizada para escolha de líderes para uma igreja ou uma organização cristã.

A. **É bíblico.** Note que o candidato de Paulo para o ministério não pode ser um novo convertido. Ele precisa ser de boa reputação (1Tm 3.6-7). Paulo revelou uma atitude semelhante quando afirmou sua própria filosofia de ministério: "[...] O qual nós anunciamos, advertindo a todo homem e ensinando a todo homem em toda a sabedoria, a fim de que apresentemos todo homem perfeito em Cristo" (Cl 1.28). Tiago escreveu: "Meus irmãos, não vos torneis, muitos de vós, mestres, sabendo que havemos de receber maior juízo" (3.1). Pedro escreveu para os anciãos na Ásia Menor, indicando que ele tinha em mente os homens mais experientes e aprovados nas igrejas (1Pe 5.1; At 14.23). Hebreus sugere que a função de liderança dos mestres deve ser reservada àqueles que tem estado na igreja por tempo suficiente para serem provados (5.11-14).

B. **É prático.** A sabedoria demanda que um líder seja maduro, e não infantil. Isso significa que a elasticidade emocional substitui a infantilidade emocional de altos e baixos. Examine a história de Saul outra vez e note a evidência clara de uma personalidade despreparada de experiência e de maturidade para governar a nação. A maneira que ele explicou a sua desobediência (1Sm 15.15) demonstra claramente um raciocínio de ordem emocional, carente de princípios.

A igreja em Corinto sofreu da praga de líderes imaturos e infantis que dividiam o Corpo de Cristo em facções e criavam tensão através de inveja e de discórdia (1Co 3.1-3). Quando homens jovens são entregues a posições de liderança, gradativamente, e avaliados a cada novo estágio, a boa qualidade de liderança torna-se quase que uma certeza.

C. **É previsível.** Um líder desaprovado pode conduzir uma igreja ou uma nação ao caos porque ninguém sabe como ele usará o poder que controla. "Poder tende a corromper; poder absoluto corrompe completamente"[6] é mais que um slogan. A história mostra quão rapidamente os ideais da Igreja ou da nação são desviados do propósito original dos fundadores quando seus líderes não abraçam os mesmos princípios.

Procurando um Homem Disponível

A habilidade e o talento valem muito pouco para os líderes que não estão disponíveis, dispostos e prontos a servir. Paulo mencionou este primeiro passo: "Fiel é a palavra: se alguém aspira ao episcopado, excelente obra almeja" (1Tm 3.1). Paulo certamente conhecia líderes que queriam a função ou o título, mas que estavam pouco preparados para o serviço. Timóteo era excepcional, como a carta de Paulo aos filipenses pode confirmar. Em seu desejo de mandar alguém para ministrar e aconselhar a igreja, Timóteo sobressaiu-se como a escolha óbvia, pois ele não tinha empecilhos com preocupações irrelevantes. "Porque a ninguém tenho de igual sentimento que, sinceramente, cuide dos vossos interesses; pois todos eles buscam o que é seu próprio, não o que é de Cristo Jesus" (Fp 2.20-21). Além do mais, Paulo exortou Timóteo para escolher homens que continuassem na obra de Deus em Éfeso, e que fossem como soldados que cuidadosamente evitam se envolver nas questões civis. Do contrário, ele desagradaria aquele que o alistou (2Tm 2.4).

O mesmo é verdade para o atleta. Que estrela olímpica compete com êxito tendo sua atenção dividida? Para vencer, a pessoa precisa estar disposta, concentrada e determinada em seu coração para a vitória (cf. 2Tm 2.5). O serviço para Deus exige a diligência e a vontade séria para ser aprovado pelo Senhor (v.15). Será que Pedro não tratou deste mesmo assunto?

---

[6]A conhecida assersão de Lord Acton, veja E. B. Habecker, *The Other Side of Leadership*, Wheaton, IL: Victor Books, 1987, p. 36.

"Pastoreai o rebanho de Deus que há entre vós, não por constrangimento, mas espontaneamente, como Deus quer; nem por sórdida ganância, mas de boa vontade" (1Pe 5.2). Jesus certamente viu, debaixo das camadas de incompetência, inexperiência e imaturidade dos seus discípulos, homens que estavam dispostos, e até zelosos para servir. Isso explica a confiança com a qual Jesus chamou-lhes de suas diversas carreiras, prometendo fazer-lhes "pescadores de homens"(Mt 4.19).

A importância da disponibilidade e da disposição de se trabalhar para Deus pode ser mais claramente vista nas exigências que Jesus colocou sobre um homem que ele chamara para segui-lo. "Permite-me ir primeiro sepultar meu pai. Mas Jesus insistiu: Deixa aos mortos o sepultar os seus próprios mortos"(Lc 9.59-60). Para outro candidato que se oferecera seguir Jesus depois de despedir-se de sua família, Jesus disse: "Ninguém que, tendo posto a mão no arado, olha para trás é apto para o reino de Deus" (vv.61-62). Grandes recompensas estão reservadas para aqueles que deixam casas, famílias e campos para trabalhar para Deus (Mc 10.29-30). Esse é o tipo de desprendimento que bons líderes necessitam. Quando olhamos o sucesso extraordinário que Jesus atingiu através de homens que ele escolhera, vemos a verdade nesta definição: "Um líder é uma pessoa comum com uma determinação extraordinária".[7]

Procurando um Homem que é Disposto a Ensinar e a Aprender

A liderança exige o conhecimento e o treinamento. Paulo usa a frase: "apto para ensinar" (1Tm 3.2). A habilidade para ensinar depende do desejo

---

[7] *Speaker's Sourcebook*, ed. Eleanor Doan, Grand Rapids: Zondervan, 1960, p. 142.

contínuo de aprender. Uma pessoa nunca deve dizer que já aprendeu, como se não precisasse mais crescer em entendimento. Depois de 80 anos de aprendizado na escola de Deus, o Senhor prometeu a Moisés: "Vai, pois, agora, e eu serei com a tua boca e te ensinarei o que hás de falar" (Ex 4.12). Quando Tiago avisa que um "maior juízo" aguarda mestres cristãos, é provável que não se referia aos erros daqueles que deliberadamente distorcem a verdade, mas daqueles que, através da preguiça e da ignorância, dão opiniões humanas, em vez da infalível Palavra de Deus. É tão comum ouvir em nossos dias mensagens que apresentam pouca profundidade e reflexão e raro interesse em expor o sentido verdadeiro do texto bíblico.

Porque a vida é dinâmica e o assunto muda constantemente, a liderança eficaz exige o crescimento e a adaptação constante.

De acordo com a pesquisa feita com milhares de líderes pela Escola de Missões Mundiais do Fuller (mencionada anteriormente), os líderes eficientes "mantém uma postura de aluno durante a vida inteira. Nunca param de estudar; lêem livros que aumentam seu conhecimento e ampliam seus horizontes. Assistem cursos para crescer e melhorar suas aptidões ministeriais".

Pastores que não se aposentam enquanto têm voz audível e uma mente que raciocina bem, demonstram mais uma das características de líderes eficazes, segundo a pesquisa do Fuller. "Eles têm uma perspectiva vitalícia de ministério. Pretendem continuar a ministrar enquanto puderem. Amam o que fazem e nunca escolheriam parar de ministrar. Encaram o ministério como um privilégio".

O outro lado da moeda se mostra quando um líder idoso pára de estudar e descobrir novas facetas da verdade. Passa a argumentar que tudo sempre fora feito assim e não enxerga o fato de que a dinâmica de sua liderança está se esgotando. A situação delicada pode ser contornada com muita dificuldade, a não ser que o líder venerável, mais idoso, se transfira para uma esfera menos exigente ou que ele "volte para escola".

A abertura para novas idéias significa que um líder tem um ouvido pronto para ouvir. Uma pessoa que arrogantemente crê que sabe muito mais do que seus seguidores, e que estudo é uma perda de tempo, encontrará desafios em sua liderança. A confiança que seus seguidores precisam manter será desgastada. Sua habilidade de efetuar mudanças nas vidas de outras pessoas será dissipada.

A seleção do líder da nação ou da igreja local, muitas vezes, será a decisão de maior importância que um grupo tomará. É o líder escolhido que determina o passo da organização, que direciona o rumo que ela seguirá. Muita reflexão e oração são os mínimos necessários que precisam ser investidos na escolha de um homem de Deus.

Procurando um Homem Perseverante

John Haggai, depois de examinar cuidadosamente personalidades históricas e compará-las com líderes atuais, chegou a seguinte conclusão: "Um fator distingue a organização que vence: a habilidade de permanecer".[8] A persistência vem com a firmeza das convicções que uma pessoa mantém. O percurso que ela escolhe é o escolhido por Deus. Esse percurso é mais digno do que qualquer outro.

Alguns dos heróis do Antigo Testamento demonstraram incrível persistência. Considere José durante o que parecia intermináveis anos na prisão. Moisés esperou quarenta anos na península do Sinai, pelo tempo de Deus, para livrar o seu povo. Samuel começou mais jovem do que qualquer outro homem de Deus a discernir a voz do Senhor. Ele permaneceu fiel até o último instante de sua vida. Começar bem é bom, mas terminar bem é muito melhor. Olhando para a história dos diversos heróis da Bíblia,

---

[8]John Haggai, op. cit., p. 39.

"a tão grande nuvem de testemunhas a rodear-nos", o autor de Hebreus exorta para que "desembaraçando-nos de todo peso e do pecado que tenazmente nos assedia, corramos, com perseverança, a carreira que nos está proposta" (12.1). Foi dito que John Wesley pregou cerca de 40.000 vezes. Ele andou a cavalo por volta de 400.000 quilômetros. Não é de nos surpreender que ele foi sozinho o homem que mais influenciou a Inglaterra em sua geração. Ele tinha persistência. Trabalhou incansavelmente para conquistar homens e mulheres para Cristo. Inspirou seguidores que tornaram o metodismo uma força poderosa para Deus que permanece até hoje. Deus o usou de forma poderosa porque ele não desistiu.

Capítulo 3

O CARÁTER DO LÍDER QUE DEUS USA

A liderança exige seguidores de confiança. A fé, no bom juízo e visão do cabeça de uma organização, durará somente enquanto o líder estiver dando à seus seguidores razões para nele confiar. A confiança tem suas raízes no caráter. É por isso que o caráter é central na liderança efetiva. Os líderes que apresentam os mais nobres traços de caráter não precisam se manter no poder por força bruta ou engano.

Stephen Covey escreveu em seu bestseller, *The Seven Habits of Highly Effective People*, que a liderança e o gerenciamento são duas funções distintas.[9] O gerenciamento preocupa-se com o controle, a eficiência e as regras, enquanto que a liderança deve se preocupar com a direção, o propósito e o sentimento familiar.

A liderança sugere seguidores voluntários, ao passo que, o gerenciamento, muitas vezes, exige a obrigação e o dever. O cabeça da companhia pode ser considerado um bom gerente se ele toma decisões que aumentarão a rentabilidade da organização. A liderança deve ter uma visão maior, direcionada ao bem-estar, a longo prazo, de todas as pessoas beneficiadas pela organização. O gerenciamento preocupa-se com a

---

[9]Stephen Covey, *The Seven Habits of Highly Effective People*, New York: Simon and Schuster; Fireside Edition, 1990, p. 103 (em português: *Os Sete Habitos de Pessoas Muito Eficazes*, Editora BestSeller).

qualidade do produto e seu bom nome, enquanto que, a liderança olha, em primeiro lugar, para a justificativa moral da fabricação do produto. "Gerenciamento é fazer as coisas de uma forma correta. Liderança é fazer as coisas corretas. Gerenciamento é eficiência subindo a escada do sucesso; liderança determina se a escada está posta contra a parede certa".[10]

O autor de Hebreus refere-se a liderança quando ele exorta seus leitores: "Obedecei aos vossos guias e sede submissos para com eles; pois velam por vossa alma, como quem deve prestar contas, para que façam isto com alegria e não gemendo" (Hb 13.17). Um líder tem seu olho no Dia do Juízo, quando seus seguidores louvarão a Deus por ele, ou o condenarão por ter colocado pedras de tropeço no caminho deles. Os traços do caráter, que seguem abaixo, são seguros, à toda prova, no que diz respeito a um homem que é usado por Deus.

Santidade

A primeira exigência de um líder cristão é santidade. Ele precisa ser sensível ao pecado que outros possivelmente consideram aceitável. Isaías tornou-se sensível a sua fala impura logo que viu o Senhor exaltado no templo. O tremendo som da repetição de "santo é o Senhor dos Exércitos" pelo serafim, estarreceu-o (Is 6.1-3). Ele gritou: "Ai de mim! Estou perdido!" (v.5). Esse foi o efeito que a visão teve no jovem profeta.

É improvável que Isaías usara uma linguagem mais violenta, impura ou blasfema do que seus contemporâneos. Porém, um sentimento de culpa tomou conta dele no ambiente santo que enchera o templo. O véu, que separava a realidade do céu das coisas terrenais, foi partido. Deus preparou Isaías para liderar, fazendo-o completamente miserável diante de sua natureza pecaminosa.

---

[10]Stephen Covey, ibid., p.101.

Deus comanda todos os seus filhos: "Sede santos, porque eu sou santo" (1Pe 1.16; Lv 11.44; 19.2). Ele, assim, revela ambos - a base e o padrão da santidade. O alicerce da santidade do líder está no caráter do Deus que ele está representando. Se a descrição, "homem de Deus", falha em representar a pessoa em comando, a organização cristã que ele lidera se sentirá mais livre para andar nas trevas. Um modelo com ações dúbias encoraja seguidores a dar "jeitinhos" e ser hipócritas. O comportamento não apropriado para um líder torna a nova natureza dos filhos da luz em uma farsa (Ef 5.8).

A santidade, do ponto de vista humano, coincide com boa reputação. Pedro não somente exortou os crentes da Ásia Menor para serem santos, mas para: "Manter exemplar o vosso procedimento no meio dos gentios, para que, naquilo que falam contra vós outros como de malfeitores, observando-vos em vossas boas obras, glorifiquem a Deus no dia da visitação" (1Pe 2.12). O mundo secular do primeiro século acreditava que os cristãos eram maus. Acusações das mais variadas e absurdas foram motivos de mexerico. Contudo, as boas obras dos cristãos e a preocupação amorosa dos crentes continuava a desmentir as acusações pagãs.[11]

A importância da boa reputação de um líder é algo de conhecimento geral. Confiança é algo tão crucial, especialmente na liderança, que uma reputação manchada criará sérios problemas. Quando espalha-se a notícia de que um pastor ou um líder é uma pessoa adúltera, isso causará ondas de choque na congregação. Semelhante à um terremoto, a destruição que isso acarreta à fé de jovens e adultos pode ser igualmente devastadora. Certamente, esta é a razão que Jesus atribui tão terrível condenação àqueles que causam a queda dos "pequeninos", isto é, dos crentes novos e instáveis na fé. Em alguns casos, eles não sobreviverão ao choque (Mt 18.1-11).

---

[11]Michael Green, *Evangelização na Igreja Primitiva*, São Paulo: Edições Vida Nova, 1984, pp 41-45.

Não somente pecado sexual, mas todas obras más que possam arruinar o bom nome do líder têm um efeito destrutivo nos seus seguidores.

Os apóstolos alistaram uma boa reputação como a primeira exigência para aqueles que haveriam de ocupar a função de liderança (At 6.3). Na lista de exigências para o ofício pastoral, "irrepreensível" é a primeira (1 Tm 3.2; Tt 1.6). Paulo foi bem cuidadoso ao apresentar as credenciais de uma vida exemplar diante de seus acusadores em Cesaréia (At 22-26). O peso de suas últimas palavras aos anciãos da igreja em Éfeso, também demonstra sua boa reputação (At 20.17-35). É sábio que uma igreja procure saber o máximo possível à respeito do pastor convidado para liderá-la. Quando se levantam dúvidas e perguntas não respondidas referentes à sua reputação, a igreja precisa exercitar grande relutância para oferecer a posição a tal homem. A reputação, uma vez prejudicada, somente poderá ser restaurada durante uma longa caminhada de integridade.

Stephen Neill, falando a alguns líderes ambiciosos, disse-lhes: "Os anos, entre quarenta e cinqüenta, são os mais perigosos da vida de um homem. Esse é o tempo em que nossas fraquezas internas são mais propensas a aparecer [...] É bem melhor descobrir agora, enquanto jovens, quais são as nossas fraquezas, e trabalhá-las [...] do que deixar os anos nos abater, trazendo-as à tona, bem quando é o tempo em que deveríamos estar crescendo à estatura de líderes e pilares na Igreja".[12]

Um líder não cai de repente, mas é como uma árvore em um processo vagaroso de apodrecimento interno; ela cai, quando um vento forte sopra, porque a doença havia enfraquecido a estrutura interior. Porém, há sinais de aviso. Um índice baixo de disciplina em áreas como fantasias e sonhos, comida, vícios a alguns hábitos ou apetites, monstram claros sinais de

---

[12]Stephen Neill, *On the Ministry,* London: SCM Press, 1952, pp. 34-35.

perigo. A falta de compromisso com os princípios éticos e doutrinários deve ressoar como um alerta. A recusa de prestar-se contas à alguém, que não seja a si mesmo e a racionalização dos erros cometidos acarretam o enfraquecimento da consciência. Além desses, há também outros sinais de alerta. "Eu não posso jamais pensar que, já que Deus tem-me perdoado, eu deva perdoar-me de forma fácil". Essa foi uma regra vivida por Charles Simeon de Cambridge, na Inglaterra, um pastor que Deus usou poderosamente no começo do século XIX.

Cheio do Espírito Santo

"Cheio do Espírito" foi o segundo traço de caráter que os apóstolos solicitaram dos líderes que cuidavam da distribuição diária (At 6.3). Há alguma controvérsia com relação ao significado dessa frase, mas é razoavelmente claro que a "plenitude do Espírito Santo"significa três coisas:

Primeiro, significa que o líder tornou-se corajoso e valente. A realidade do Espírito na vida de um homem como Pedro pode ser vista em seu sermão no dia de Pentecostes (At 2), e em sua resposta corajosa aos líderes e anciãos dos judeus, que tinham o poder de colocá-lo na prisão e matá-lo (At 4.8). O encontro de oração, após as ameaças dos líderes do Sinédrio, resultou em um novo encher do Espírito. A conseqüência foi que eles "com intrepidez, anunciavam a palavra de Deus" (At 4.31).

Estêvão foi um dos sete que convenceu a igreja de Jerusalém que ele estava "cheio do Espírito". É surpreendente a tremenda coragem com a qual expressou sua interpretação do Antigo Testamento com relação a Jesus, como o Messias. Ele era sabedor de qual seria a reação da sinagoga, mais ainda assim, permaneceu calmo e despreocupado, enquanto a manifestação determinara apedrejá-lo (At 7.54-60). Liderança e um "espírito de medo" não casam-se. Timidez em um líder não é um sinal saudável nem promete sucesso (cf. 2Tm 1.7).

Segundo, o enchimento do Espírito é encontrado no zelo e poder evangelístico que Filipe demonstrou em Samaria. Foi tão impressionante a unção pela qual Filipe proclamara Cristo (At 8.6), que multidões deram atenção ao que disse. Além do mais, os demônios gritavam quando foram expulsos das pessoas possuídas. Ele realizou milagres poderosos de curas de doenças físicas (v.7). Atualmente, não exigimos de líderes de organizações cristãs que realizem milagres, mas zelo por Deus e seu Reino são evidências claras da presença do Espírito.

O significado do controle desimpedido do Espírito na vida de uma pessoa pode ser observado na vida de Whitefield. "George Whitefield foi imensamente usado por Deus, porquanto ele e John Wesley viraram de cabeça para baixo a Inglaterra para Cristo, e salvaram, pela graça de Deus, as ilhas britânicas de uma réplica da Revolução Francesa. Foi falado a respeito de Whitefield, 'Do momento que ele começou, como um jovem, a pregar até a hora da sua morte, ele não conheceu nenhum abatimento da paixão. Até o fim da sua incrível carreira, sua alma foi uma chama de zelo ardente pela salvação dos homens'". [13]

Terceiro, a plenitude do Espírito significa que o líder não está sozinho. Ele tem um "assistente divino". Sem o Espírito, será que Filipe saberia que precisava deixar o ministério frutífero em Samaria e viajar à Gaza para unir-se ao carro do eunuco, mordomo-mor de Candace, rainha dos etíopes (At 8.26-31)? Ou será que Paulo teria exercido a coragem e o entendimento de desafiar Elimas, o mágico, e puni-lo com cegueira, para que o procônsul de Chipre viesse a crer no Senhor (At 13.7-10)? Permanece de importância máxima que o líder saiba a mente do Senhor antes de tomar decisões que venham afetar a sua vida e a vida de outras pessoas. Todos os filhos

---

[13] Wesley L. Duewel, *Ablaze for God*, Grand Rapids: Francis Asbury Press, 1989, p. 30 (em português: *Em Chamas para Deus*, Editora Candeia).

de Deus devem ser guiados pelo Espírito (Rm 8.14) ou "andar no Espírito" (Gl 5.16,25), mas é ainda mais importante que o líder seja assim liderado. Suas decisões afetam mais pessoas. Sua vida chama a atenção como um modelo exemplar.

Sabedoria

A igreja de Jerusalém tinha acabado de nascer quando as circunstâncias levaram, a Igreja e os apóstolos, a entender que eles eram incapazes de gerenciar o fundo de distribuição às viúvas, além de seus outros deveres. A crítica às práticas injustas dessa distribuição estava bem fundamentada (At 6.1). Os apóstolos reconheceram a importância de manter o amor mútuo e a unidade na igreja. Conseqüentemente, eles formaram a base para um segundo nível de liderança, mais conhecido como "diaconia". A sabedoria é a chave virtuosa entre as qualidades que os sete homens precisavam. Como a igreja de Jerusalém entendia esse termo? Uma vez que Tiago pastoreara aquela igreja depois que os apóstolos se espalharam, podemos contar com sua ajuda para uma definição.

Sabedoria significa mais do que mera inteligência. Enquanto esta referese à habilidade de resolver problemas de forma correta pelo uso da razão e experiência; aquela, refere-se à inteligência divina. Soluções humanas aos problemas são avaliados na base das vantagens que aquelas soluções trazem àqueles que estão encarregados. Isso explica a descrição de "sabedoria" que Tiago chama de terrena e natural (Tg 3.15). Esta é a motivação que produz um "sentimento faccioso", o qual normalmente cria "inveja amargurada".

A sabedoria lá do alto, por outro lado, é "pura" (v.17). Isto é, livre de contaminação facciosa. Ela produz paz, em vez de contenda e disputa. É "gentil", ou seja, preocupada com o sentimento dos outros. É "razoável", disposta a ceder e a negociar. A sabedoria celestial é "plena de misericórdia", mostrando seu amor a outros. "Bons frutos"caracterizam

44

o resultado dessa sabedoria em ação. Onde a "sabedoria" é usada, ações generosas e boas serão certamente encontradas. Sabedoria significa prontidão e perseverança, além da ausência de hipocrisia (Tg 3.17). Paulo expressa a verdadeira natureza da sabedoria que vem de Deus como o caminho da cruz pelo qual ele salva pecadores desamparados (1Co 1.19-25). Deus demonstra seu amor incondicional pelos seus "inimigos", providenciando, através de sua morte agonizante, completo perdão e reconciliação. Através da Bíblia, podemos ver vários exemplos de liderança sábia. Daniel é um dos casos mais extraordinários. Ele decidiu não se contaminar com a escolha da comida e da bebida do rei. Sua decisão não foi baseada em nutrição nem paladar, mas, na convicção de que a Bíblia proibia a comida "impura", que ele e seus três companheiros eram obrigados a comer (Dn 1.5,8). Já que Daniel era o líder do grupo de judeus cativos, sua decisão influenciou-os a fazerem o mesmo. Em sabedoria, Daniel não somente recusou comer o que Deus não permitira, mas também, designou um plano pelo qual sua decisão não resultaria no desagrado do rei. Os dez dias de teste foram suficientes para provar que legumes e água eram, na verdade, mais saudáveis do que o cardápio do rei (Dn 1.15). Além do mais, o Senhor deu sabedoria e inteligência para que os quatro jovens hebraicos fossem dez vezes mais doutos do que todos os outros quando chegou a hora de responder às perguntas do rei (v.20)

Daniel deixou evidente seu hábito de oração, não mantendo-o em segredo, para que assim, pudesse encorajar outros judeus cativos a continuarem buscando o Senhor publicamente (Dn 6). Embora ele tenha sido lançado na cova dos leões, Deus honrou sua escolha desprendida, preservando sua vida. Certamente, milhares de judeus cativos foram fortificados em sua fé ao saberem que Daniel tinha escolhido viver pela sabedoria celestial. Imagine o quanto foram encorajados ao saberem que Deus preservara a Daniel das ameaças do seu inimigo! Na verdade, Daniel saiu dessa situação mais forte do que nunca.

Daniel corajosamente demostrou que Deus era confiável se seus seguidores fossem orientados pela sabedoria divina. Ele comunicou essa sabedoria teológica a Nabucodonosor. Como um ditador antigo do Oriente, que reinou inteiramente por sua ambiciosa inteligência humana, Nabucodonosor, não foi um aluno apto. Veja o testemunho de Daniel acerca de Deus ao rei: "Seu domínio é sempiterno, e seu reino é de geração em geração. Todos os moradores da terra são por ele reputados em nada; e, segundo a sua vontade, ele opera com o exército do céu e os moradores da terra; não há quem lhe possa deter a mão, nem lhe dizer: 'Que fazes?'" (Dn 4.34-35).

A capacidade de Daniel para liderar, desde sua mocidade, cresceu da sua convicção à respeito de Deus e da sabedoria que esse conhecimento instilara em seu coração. Um líder, segundo o padrão de Deus, certamente demonstrará a sabedoria lá do alto, concedida pelo Espírito Santo de Deus àqueles que, como Daniel, buscam-na para si.

Fé

Lucas não alista "fé" entre as qualidades que os apóstolos consideraram essenciais para a liderança que cuidaria do fundo de distribuição das viúvas na igreja de Jerusalém. Ele, porém, descreve Estêvão como um "homem cheio de fé" (6.5). Isso talvez sugira que essa tremenda qualidade em Estêvão não fosse necessariamente exigida de todos os homens selecionados pela igreja. Certamente, é um traço espiritual central de todos que desejam ser líderes piedosos.

O autor do livro de Hebreus afirma que "sem fé é impossível agradar a Deus" (11.6). Deus nunca poderia agradar-se de um líder que exerce autoridade em seu Reino, que não seja um homem de fé. A fé de Estêvão excedera na forma que interpretou a história da salvação de Israel. (At 7). Cada evento é entendido à luz da intervenção e do soberano controle do

Senhor sobre os eventos passados. Aqui, não existe uma visão secular do passado como historiadores escrevem hoje. Devido Estêvão ter podido detectar a mão de Deus abençoando e julgando Israel, ele pôde ver a glória de Deus independentemente dos planos assassinos dos judeus (7.55). Ele também pôde ver Jesus assentado à direita de Deus e ter certeza que derrotas, na Terra, são vitórias, no Céu.

Paulo também não interpreta os eventos recentes em sua vida, como marcas dos golpes vencedores do diabo. Ele escreveu: "Porque não queremos, irmãos, que ignoreis a natureza da tribulação que nos sobreveio na Ásia, porquanto foi acima das nossas forças, a ponto de desesperarmos até da própria vida. Contudo, já em nós mesmos, tivemos a sentença de morte, para que não confiemos em nós, e sim no Deus que ressuscita os mortos" (2Co 1.8-9). O apóstolo via a realidade pela lente da fé.

Amor

Existe alguma qualidade de que um líder careça mais do que o amor? A civilização ocidental se deteriora rapidamente devido ao egoísmo que penetra nossa cultura atual. O "fazer algo de forma correta" tomou o lugar do "fazer o bem". Essa é a nova prioridade do nossos dias, colocando o amor em segundo plano. O controle de qualidade se tornou mais importante do que o sacrifício em favor de outras pessoas. O "salvar a vida" por meio da "perda dela" por Cristo e pelos necessitados não é mais algo popular, atualmente, embora seja o ponto central daquilo que Jesus exige de seus seguidores (Lc 9.23-24). O amor é mais importante no Novo Testamento do que os dons espirituais ou o conhecimento (1Co 13; 8.1). Uma liderança sem amor é como um corpo sem o coração. Morta e sem sentido, ela promove vaidade, em vez de maturidade cristã.

Paulo escreve para os Coríntios que o amor de Cristo nos constrange (2Co 5.14). Significa que qualquer pessoa que sente intimamente o amor que Cristo tem por ela, desejará segui-lo, e servi-lo. O custo do sofrimento e do esforço não é importante. A mesma verdade é válida para relacionamentos entre líderes e seguidores. A lealdade estabelece as raízes firmes nos corações daqueles que sentem que seus líderes verdadeiramente os amam. É por isso que Jesus fez o contraste entre o mercenário e o pastor, em João 10. O mercenário não é o dono das ovelhas, nem se preocupa com o que acontece com elas. Quando o lobo aparece, ele foge. Não sente nenhuma necessidade de arriscar sua vida pelo bem-estar e proteção das ovelhas (vv.12,13). O amor do pastor, ao contrário, é tão íntimo e sacrifical que ele dá a sua vida pelas ovelhas (v.11).

Amor (agape) de caráter bíblico, não procura os seus próprios interesses, mas o bem-estar de um irmão ou do próximo. Como o bom samaritano (Lc 10), ele se alegra em dar de seu tempo, transporte e dinheiro para ajudar uma vítima de um assalto. A palavra "benigno" (1Co 13.4) descreve essa qualidade. O líder que se identifica com o sofrimento de um seguidor ganhará a sua lealdade. O amor é a qualidade que aproxima o líder do grupo. Quando membros de uma igreja sentem que seu o pastor os ama, o cinismo desaparece e a inveja evapora.

Porque será que líderes políticos, na maioria das vezes, estão muito baixo na escala de apreciação daqueles que votaram neles? A razão principal é que os eleitores julgam pelas ações e atitudes que seus líderes têm, de não ter por eles maior amor do que um leão faminto tem por um veado. Amor hipócrita não é convincente, mas contra-produtivo.

Os dez princípios, apresentados por Ted Engstrom, que seguem abaixo, ajudarão o líder a fazer do amor algo prático.

1. "Precisamos tomar a decisão de desenvolver amizades em que não exigimos nada em troca". Essa é a base para o amor bíblico, incondicional e não manipulador.

2. "Deve haver um esforço consciente para nutrirmos um interesse autêntico por outras pessoas". Esse interesse deve procurar o benefício dos outros e não os nossos próprios interesses.

3. "Cada um de nós é uma criatura ímpar. Conseqüentemente, levaremos tempo, e muitas vezes um longo tempo, para conhecermos uns aos outros". Tempo expressa amor de modo prático.

4. "Comprometa-se a aprender como ouvir". Ouvir atentamente é difícil, especialmente quando a pessoa falando é monótona, mas isso expressa amor genuíno.

5. "Simplesmente, esteja presente, quer você saiba exatamente o que fazer ou não". Investir tempo em pessoas demonstrará o seu cuidado. Cuidar é amar.

6. "Sempre trate as pessoas de igual para igual". Ser um líder não faz de alguém melhor do que outros, nem mais valioso, aos olhos de Deus.

7. "Seja generoso com elogios legítimos e encorajamento". É impossível demonstrar amor através de criticismo amargo e depreciação dos outros. Os elogios carregam a mensagem oposta.

8. "Faça de seus amigos prioridade, preferindo-os antes de si mesmo". O amor não pode ser praticado sem demonstrar o valor de seus amigos a outros. Considerar cada um superior a si mesmo é uma ordem do Senhor (Fp 2.3).

9. "Aprenda amar a Deus com todo o seu coração, alma, mente, e força. Depois ame seu próximo como a si mesmo". O Senhor deixou claro que amar ao próximo está ligado com amar a Deus.

10. "Enfatize as qualidades e virtudes dos outros, não, seus pecados e fraquezas". Pecadores, somos todos; então, é importante que um líder não dê a impressão de que ele é perfeito, sem pecados, e seus seguidores são estúpidos e ruins.[14]

---

[14]Ted Engstrom, *The Fine Art of Friendship*, Nashville: Th. Nelson Publishers, 1985, pp 128-130, citado in John Haggai, *Lead On*, op. cit., p. 51.

Servilismo

Elisabeth Elliot, cujo marido foi assassinado por índios aucas no Equador em 1956, escreveu: "Creio que a Igreja será mais eficiente para levantar líderes, quando nós começarmos a exemplificar a serventia [...] As pessoas, muitas vezes, estão fazendo coisas normais quando Deus as chama para fazer aquilo que se torna grandes coisas. Jesus disse, 'Se você está pronto para ser o último, então, você será o primeiro. Se você está disposto para fazer coisas pequenas, então, encarregarei você de muitas coisas'. É um dos paradoxos bíblicos onde o princípio da Cruz entra em operação - você ganha, perdendo; e torna-se maior, tornando-se menor. Quando nós, como Igreja, evitamos a Cruz, estamos nos privando da possibilidade da verdadeira liderança espiritual. E, esse é o tipo de liderança que precisamos hoje, mais do que nunca".[15]

Precisamos lembrar que a busca de homens para liberar os apóstolos da responsabilidade de administrar o fundo de distribuição de recursos às viúvas na igreja em Jerusalém direcionou homens para "servirem às mesas" (*diakonein*, At 6.2). Um termo que Paulo usa constantemente para descrever sua própria função é "diácono" (servo). O professor E. E. Ellis do Seminário Sudoeste em Forth Worth, no Texas, depois de um estudo minucioso das funções dos obreiros no Novo Testamento, fez o seguinte comentário: "Quando as designações atribuídas aos companheiros de Paulo são verificadas, fica clara a ausência de certos termos, não somente daqueles que mais tarde se tornaram tradicionais para os líderes na Igreja, mas também, os termos que identificam os dons e carismas espirituais especificados por Paulo. Em suas cartas, nenhum de seus companheiros é chamado de profeta, professor ou pastor, muito menos, ancião ou bispo.

---

[15]Elisabeth Elliot, *Discipleship Journal*, Issue 41, 1987 citado por P. Borthwick, *Leading the Way*, Colorado Springs: NavPress, 1989, p. 69.

As designações mais usadas são, em ordem de freqüência decrescente, *sunergos* ("cooperador"), *adelphos* ("irmão"), *diakonos* ("servo") e *apostolos* ("apóstolo").[16] Paulo usa *diakonos* em próxima relação à "obreiro" (*ergates*) e "ministros" (cf. 1Co 3.5, 9; 2Co 6.1, 4; 1Co 16.15-16). Os obreiros e os ministros são aqueles que têm se dedicado ao serviço dos santos. Os dons de apostolado, profecia, evangelista e pastor-mestre em Efésios 4.11 são distribuídos para a promoção e o treinamento de cristãos para o trabalho do ministério (*ergon diakonias*,v.12). Isso significa que nenhuma função na Igreja, sendo ela exaltada, deve ser exercida sem um "espírito de serventia". Paulo usa o termo *hupereta* ("servo", etimologicamente, "remador de baixo", em um navio a remo, 1Co 4.1), para enfatizar essa atitude humilde.

Jesus reagiu à ambição da autopromoção dos discípulos com um ensino específico sobre servilismo. Um pouco antes de celebrar a última ceia, Jesus notou que estavam contendendo entre si sobre qual deles parecia ser o maior (Lc 22.24). Jesus contrastou seu conceito de liderança com o quadro político da sua época: "reis" locais exerciam sua autoridade tirânica sobre as pessoas e chamavam-se "benfeitores". Os líderes cristãos necessitam ser "servos"(*diakonon*, Lc 22.26; Mc 10.42-44).

Qual foi a intenção de Jesus ao rejeitar a mentalidade da liderança de sua época? Primeiro, ele não estava rejeitando o uso do poder. Gardner demonstra que o poder não é para ser confundido com o status e o prestígio. O poder é a capacidade de garantir o resultado que um líder deseja realizar, e prevenir aqueles resultados que ele deseja evitar. "O poder [...] é, simplesmente, a capacidade de trazer à superfície certas conseqüências almejadas no comportamento de outras pessoas".[17]

---

[16] E. E. Ellis, *"Paul and his Co-workers"*, NewTestament Studies, Vol. 17, p. 440.

[17] John W. Gardner, *Leadership and Power*, Washington D. C.: Independent Sector, 1986, p. 3 citado em E. B. Habecker, *The Other Side of Leadership*, Wheaton, IL: Victor Books, 1987, p. 34.

O poder é um ingrediente necessário à liderança. Todo líder necessita um certo grau de poder. Enquanto uma pessoa está subindo as escadas da autoridade estruturada de uma organização, espera-se um aumento em seu direito de usar o poder. O que determina a grandeza de um líder não é quanto poder ele tem, mas o quão eficiente ele é em usufrui-lo.[18] Um líder, que é servo, não busca poder para auto-enriquecimento, mas para a glória do seu Mestre. Um servo que serve bem não se preocupa com sua fama ou bem-estar, conquanto, possa realizar os desejos do seu Senhor. John Gardner estava certo quando observou que "poder reside em algum lugar",[19] a menos que a organização esteja afundando presa no oceano da inércia e da total incompetência, como o Titanic na noite fatal de abril de 1912.

Jesus falou de si mesmo: "Pois o próprio Filho do Homem não veio para ser servido, mas para servir (**diakonein**), e dar a sua vida em resgate por muitos" (Mc 10.45). Servilismo para Jesus não significou renúncia de poder. Seu ministério irradiou poder, curas, exorcismos, ensino e desafios à religiosidade hipócrita. Contudo, Jesus renunciou ao uso de poder para seu próprio conforto, fama ou satisfação. "Ele exercitou poder de forma apropriada e para fins apropriados. Sua vida proporciona o exemplo positivo sobre como o poder pode e deve ser usado".[20]

A mãe de Tiago e João esperava por posições maiores de liderança para seus filhos no reino que Jesus planejava inaugurar. Não somente os filhos de Zebedeu creram que o poder e a felicidade fossem sinônimos, mas também, os outros dez discípulos tornaram-se ressentidos quando eles perceberam que as duas maiores posições na organização tinham sido

---

[18]M. Rush, *The New Leader*, Wheaton, IL.: Victor Books, 1987, p. 80.

[19]Ibid., p. 19.

[20]E. B. Habecker, ibid, p. 35.

solicitadas. Eles também estavam tão animados quanto Tiago e João para alcançar a autoridade e o poder no Reino. Jesus, porém, comparou o conceito mundano de "grandeza" a sua própria definição. "O Filho do Homem não veio para ser servido, mas para servir e dar a sua vida em resgate por muitos" (Mt 20.28).[21]

Jesus, embora Senhor de todos, exemplificou o servilismo de várias formas. Ele colocou de lado sua própria vontade para fazer a vontade do Pai. No jardim do Getsêmani, ele colocou de lado a tentação de insistir na sua própria preferência para dar lugar a vontade do Pai (Mt 26.42).

Ele rejeitou o trono (Jo 6.14,15), mas permitiu que seus atormentadores coroassem-no com espinhos. Ele admitiu que, de fato, era o Messias (Mc 14.61,62), o Rei preanunciado de Deus, mas não reagiu com ira e condenação contra aqueles que escarneceram dele, cuspiram nele e bateram na sua cabeça com um caniço (Mc 15.19, 20). Embora todas as coisas tinham sido dadas por Deus em suas mãos (Jo 13.3), ele resolutamente escolheu não usar aquele poder para seu próprio benefício. Embora ele tivesse pouco lazer e descanso, ele teve tempo para segurar bebês em seus braços e abençoar as criancinhas. Embora uma multidão enorme lhe tivesse empurrado e apertado, procurando ajuda de todo o tipo, ele teve tempo para um pequeno e desprezado coletor de impostos pendurado em uma árvore (Lc 19.1-10). Os pedidores de esmola, os leprosos e as mulheres receberam sua atenção e ajuda, mesmo quando os discípulos tentavam protegê-lo da exigência deles. Ele não se importou com a fama e o poder que motivavam as pessoas comuns, mas estava totalmente preocupado com a glória do Pai.

A servilidade, para Jesus, demonstra-se na sua preocupação por outras pessoas e suas necessidades, especialmente, daqueles que eram desprezados e rejeitados pela própria sociedade. Ele não somente exigiu auto-negação dos seus discípulos, mas também, exemplificou-a em seu

---

[21]Cf. M. Rush, op. cit., p. 82.

próprio viver. Jesus tinha uma missão a cumprir, e não deu importância alguma para os altos e poderosos líderes que procuraram o bem-estar de si mesmos. "O zelo da tua casa me consumirá" (Jo 2.17), direciona-nos para a base do desdém que Jesus sentiu pela ambição e pelo poder que busca o seu próprio interesse, em vez da glória de Deus.

A atitude servil é enraizada em motivos corretos. Quando a glória de Deus é o supremo prazer do servo, ele não tem nenhuma necessidade de fingir que é santo, como os fariseus fizeram na época de Jesus (Mt 6.1-4). A hipocrisia é antitética à tudo que Jesus ensinava. Essa é a razão que ele atacou contra a pretensão religiosa com denúncias tão contundentes (Mt 23). Jesus alertou os títulos importantes que os escribas e fariseus apreciavam tanto. Nem "mestre", nem "pai" e nem "líder" (*kathegetes*) são apropriados para a atitude servil que é essencial à liderança (Mt 23.8-10).

A atitude servil necessita crescer de uma avaliação correta das habilidades e da autoridade de uma pessoa. No mundo, autoridade é herdada através do nascimento nobre (como no caso de reis e todos aqueles que nascem em famílias com títulos e nobreza), da ambição e da realização. Porém, para Jesus, autoridade e poder são dons oferecidos por Deus para pessoas indignas. "Mas, a todos quantos o receberam, deu-lhes o poder de serem feitos filhos de Deus [...]" (Jo 1.12), claramente afirma que o direito (*exousian*, "autoridade", veja Mt 28.18) dos príncipes da família de Deus, o Rei da glória, é distribuído liberalmente pelo Senhor Jesus. Quando Jesus contou a parábola dos talentos, que três servos (*douloi*, "escravos") deviam ter dado de um a cinco talentos cada (Mt 25.15), pode ter aparentado até irônico para a sua audiência. O valor de um talento (c. 30 quilos de prata ou ouro) era muito mais do que um artesão poderia ganhar em sua vida inteira. Jesus procurava enfatizar que aqueles sem riquezas ou direitos estão sendo elevados (de alguma forma) ao status de reis. Todavia, eles permanecem servos, que precisam prestar contas ao seu Mestre (Mt 25.19-30). Embora cuidassem do dinheiro como se fosse deles mesmos, não podiam jamais esquecer que, na verdade, não o era.

A atitude servil pode ser melhor mantida em uma democracia do que numa autocracia ou ditadura. Em um governo democrático, o líder é uma pessoa que não herda autoridade, ou conquista-a pela força, mas ganha o privilégio de liderar. Os membros da organização estão convencidos de que o seu líder escolhido resolverá seus problemas mais eficazmente do que qualquer outro, senão, deixariam de apoiá-lo. Porém, se um líder tem uma ambição não bíblica por poder, e portanto, usa meios ilegítimos para consolidá-la em suas mãos, deverá ser lembrado do alerta do Senhor. "Se aquele servo disser consigo mesmo: Meu senhor tarda em vir, e passar a espancar os criados e as criadas, a comer, a beber e a embriagar-se, virá o senhor daquele servo, em dia em que não o espera e em hora que não sabe, e castigá-lo-á, lançando-lhe a sorte com os infiéis" (Lc 12.4-46). De certa forma, Cheryl Forbes está certa: "Os cristãos precisam dizer 'não' ao poder, individualmente e corporativamente",[22] porquanto ela entenda esse poder como algo ilegítimo e contrário ao espírito servil.

Richard Foster observou: "Aqueles que não prestam contas a ninguém são especialmente suscetíveis à influência corruptora do poder [...] Hoje, a maioria dos pregadores de mídia e evangelistas itinerantes sofrem [...] da mesma falta de prestação de contas que os profetas viajantes do século sexto sofreram".[23] É verdade que líderes cristãos são, no final das contas, prestadores de contas a Deus (1Co 4.5), mas uma avaliação justa de um companheiro de viagem da estrada celestial pode ser um excelente lembrete de que a atitude de um servo necessita ser mantida por toda a vida.

---

[22]Cheryl Forbes, *The Religion of Power*, Grand Rapids: Zondervan, 1983, p. 87, citado in E. B. Habecker, op. cit., p. 37.

[23]Richard Foster, *Money, Sex and Power*, S. Francisco: Harper and Row, 1985, pp. 178, 179, citado em H. B. Habecker, op. cit., p. 36.

Alguns líderes facilmente caem no erro que os convence de que servir seus seguidores será interpretado como fraqueza. Porém, os líderes que servem são mais eficientes do que os autocratas.[24] A Bíblia claramente demonstra as conseqüências de se fazer escolhas que transmitam poder despótico. Roboão perdeu a maior parte do seu reino por seguir conselhos de jovens que aconselharam-no dizendo que ele deveria reinar com um "dedo mínimo mais grosso do que os lombos de meu pai"e forçar-lhes a carregar um jugo mais pesado daquele que Salomão impusera (1Rs 12.10,11). Os anciãos estavam certos: "Se, hoje, te tornares servo deste povo, e o servires, e, atendendo, falares boas palavras, eles se farão teus servos para sempre" (v.7).

Conclusão

Nenhuma virtude bíblica deve ser premiada mais em um líder do que a vida santa, a sabedoria com discernimento, a plenitude do Espírito e um senso de servilidade equilibrado. Deus usa homens com esses perfis. Igrejas e organizações que notam que essas qualidades estão em falta em seu meio, necessitam clamar ao Senhor por avivamento. O caráter carnal da igreja de Corinto pode ser facilmente explicado pelo orgulho dos líderes da igreja que substituíram Paulo, um servo humilde do Senhor. Seu exemplo e alertas foram insuficientes para implantar naquele lugar um espírito servil. Os efésios perderam seu primeiro amor (Ap 2.5) devido à liderança defeituosa. O estado moribundo da igreja de Sardes foi a conseqüência da liderança pobre (Ap 3.1-3). A condição morna da igreja de Laodicéia foi o efeito natural de líderes orgulhosos e auto-suficientes que contagiaram a igreja com o vírus mortal do mundanismo (Ap 3.13-20).

---

[24]M. Rush, op., cit., p. 85.

Capítulo 4

A Prática e o Ensino de Jesus

*J*esus é o líder dos líderes. Ele é o modelo, uma fonte inextinguível de instrução e de ilustrações sobre a liderança. Será que jamais existiu um líder entre os homens que encarnou, as exigências para os homens que Deus usa tão clara e efetivamente como o nosso Senhor? A história da Igreja demonstra o quão freqüentemente tem sido esquecido e descartado o modelo de Jesus e suas instruções sobre a liderança. Igrejas e denominações que não atentam para o seu ensino ou não seguem os princípios de liderança de Jesus hoje, cortejam o juízo e a condenação de Deus. Eles podem muito bem estar fracassados aos olhos de Deus, mesmo que estejam prosperando de acordo com a avaliação dos padrões desse mundo.

A base de toda a liderança está enraizada em Deus; é dele que nasce todo princípio verdadeiro de liderança piedosa. É por isso que encontramos o quadro mais completo e perfeito de liderança em seu próprio Filho.

Jesus ensinou que "O discípulo não está acima do seu mestre; todo aquele, porém, que for bem instruído (treinado) será como o seu mestre" (Lc 6.40). Notamos, em primeiro lugar, que um seguidor de Cristo não deve tentar dirigir as vidas dos outros sem primeiro ser treinado. Podemos detectar quem são os líderes que, como Pedro e João, tinham "estado com Jesus" (At 4.13). O treinamento inclui a instrução verbal e a prática em ações. Cristo advertiu que ouvir sua palavra sem colocá-la em prática resultará no desastre semelhante ao indivíduo que construiu uma casa sobre a areia. As tempestades de vento e de água acabaram com a casa (Mt 7.27). O juízo final arrasará com os líderes que pensam que o conhecimento sem prática tem algum valor.

O Padrão de Jesus

A liderança de Jesus começou com o seu convite feito a homens comuns. Ele não escolheu homens religiosos, como se esperaria. Jesus viu mais potencial em "leigos" do que em clérigos. Provavelmente a razão disso é o fato de que pessoas, como pescadores e coletores de impostos, tinham menos resistência aos conceitos de Jesus do que os religiosos. Os fariseus e os sacerdotes, cheios de preconceitos, não eram maleáveis. Somente os que desejam aprender com Jesus devem ser candidatos para liderar em seu reino.

Jesus lembra ao Pai que tinha entregado as palavras que recebera a esses homens que Deus lhe dera (Jo 17.8). Liderar, para Jesus, era formar cabeças com idéias vindas diretamente de Deus. Uma escola celestial, que transmite pensamentos e caminhos mais altos do que os nossos (Is 55.8, 9), seria mais eficiente do que algum seminário que dá prioridade às opiniões humanas e às filosofias especulativas. A escola de discípulos que Jesus fundou foi ambulante. Ele não tinha uma prioridade acadêmica, mas sim, a formação do caráter, da lealdade e do serviço ao Senhor.

O Mestre prometeu transformar seus convidados "alunos" em "pescadores de homens" (Mt 4.19). Isso deve nos desafiar se queremos saber como Jesus transformou homens voltados à pescaria e ao comércio em evangelistas e discipuladores (Mt 28.19).

Uma Nova Mentalidade

Em primeiro lugar, Jesus enfatizou a felicidade dos que adotam a sua própria mentalidade. Essa nova "mente" teria as características vividas pelo próprio Senhor Jesus. Não são os altivos e os arrogantes, mas os humildes que observam fielmente os valores do Reino. "Deles é o reino dos céus" (Mt 5.3). Os que choram são abençoados porque se compadecem dos perdidos e dos miseráveis. Os mansos, como Jesus, entregam os seus direitos para poderem amar os inimigos, em vez de condená-los (Mt 5.44). Os que tem fome e sede de justiça não se isolam dos pecadores, achando que são santos. Alegram-se na graça perdoadora de Deus, para que possam mostrar uma gratidão atraente. Os que adotam a nova mentalidade de Deus serão misericordiosos. Terão pouca dificuldade em perdoar os que os maltratam e sentir compaixão pelos que sofrem. Os limpos de coração valorizam a integridade e os relacionamentos cristalinos com pessoas do sexo oposto. Os pacificadores sempre buscam a reconciliação entre as raças, as tribos, os inimigos, os alienados, mas, principalmente, entre os pecadores rebeldes e Deus (Rm 5.8) A perseguição por causa da justiça e por causa de Jesus não os intimida. Sabem que seu galardão será incomparavelmente maior do que todo o sofrimento suportado por causa do reino de Deus.[25]

É importante para o líder cristão lembrar que Jesus garantiu conseqüências e galardões para todos que, pelo poder do Espírito de Jesus, passassem por um transplante de atitude. O Senhor propôs essa transformação radical primeiramente para os seus seguidores. Afirmamos ainda mais: os problemas causados por líderes nas igrejas e nas organizações surgem por falta de se buscar incansavelmente essa maneira de ser, viver e reagir.

Cristo ensinou claramente que uvas não se colhem dos espinheiros, e nem figos dos abrolhos (Mt 7.16). Quer dizer que, onde falta uma transformação radical, não poderá haver esperança de resultados positivos.

---

[25]Veja R.P. Shedd, *A Felicidade Segundo Jesus*, São Paulo: Edições Vida Nova, 1998.

Mortificação

Em segundo lugar, Jesus exigiu que os seus discípulos morressem para que realmente pudessem viver. Morte para alcançar uma vida centrada em Cristo é a condição da liderança produtiva. "Em verdade, em verdade vos digo: se o grão de trigo, caindo na terra, não morrer, fica ele só; mas, se morrer, produz muito fruto" (Jo 12.24). Um ensino semelhante enfatiza a exigência que todos os discípulos necessitam tomar a sua cruz e seguir a Jesus (Mc 8.34).

George Müller, segundo seu biógrafo, A. T. Pierson: "somente em resposta à oração cuidou de mais de 10.000 órfãos, construindo cinco casas espaçosas para abrigá-los. Estabeleceu escolas diárias e escolas dominicais em todo o mundo, nas quais talvez 150.000 crianças foram ensinadas; e colocou em circulação dois milhões de Bíblias e porções da Escritura. Ele publicou mais de três milhões de livros e panfletos [...]". Pierson calcula que ele recebeu e usou para Deus cerca de 7,5 milhões de dólares (hoje esse valor seria pelo menos três vezes maior).[26]

Que explicação Müller daria para um serviço tão frutífero a Deus e aos necessitados do mundo? Quando perguntaram qual era o seu segredo: "Ele respondeu, abaixando-se cada vez mais até tocar o chão, 'foi no dia em que eu morri. Morri totalmente. Morri para George Müller, suas opiniões, preferências, gostos, e vontade. Morri para o mundo, sua aprovação ou censura. Morri para a aprovação ou culpa de qualquer um de meus irmãos e amigos; e desde então, eu tenho estudado somente para apresentar-me aprovado por Deus".[27]

---

[26]Vernon Grounds, *Radical Commitment*, Portland, Or: Multnomah Press, 1984, p. 43.

[27]Ibid., p. 44.

Morte para si mesmo não significa suicídio psicológico, tornando-se apático e dominado por um complexo de inferioridade. Nenhum líder pode influenciar outros, se for pouco mais do que um "zero a esquerda". O "ser crucificado com Cristo" certamente não significa que nós também precisamos nos matar, por acharmos que não somos de proveito algum para Deus e para nossos companheiros. Jesus veio para trazer aos que crêem uma "vida abundante" (Jo 10.10). Para amar outros precisamos amar a nós mesmos (Mt 19.19). Além disso, o negar a si mesmo e o odiar a própria vida são ensinados pelo nosso Senhor (Lc 9.23; 14.26). Vamos ver as palavras do Dr. Grounds por um instante:

"Deus não está no negócio de derrubar cristãos, reduzindo-os a zeros a esquerda. Deus está no negócio de levantar cristãos, maximizando seus talentos e atingindo seus potenciais. Ele não quer rebaixar a essência do indivíduo [...] A essência do indivíduo é o que eu e você somos como seres humanos, criados na imagem de Deus. Não somente isso, se nós somos cristãos, fomos remidos pelo precioso sangue de nosso Senhor, o Espírito Santo mora em nós, e nós temos garantida a nossa conformidade a Jesus. Deus, então, está no negócio de fazer-nos como seus filhos, as mais felizes, as melhores e mais produtivas pessoas que podemos ser. Mas para maximizar a nossa essência como pessoas, Deus tem que nos ajudar a abandonar nossa auto-centralidade, nossa auto-preocupação, nosso orgulho pecaminoso. Deus tem que nos ajudar a lagar nossas expectativas, sonhos, ambições, vontades e desejos auto-centralizados".[28]

O que isso significa, então, é que o líder, para ser como Jesus, necessita abandonar sua própria vontade e abraçar a vontade de Deus. Com a ajuda de Deus, ele precisa desenvolver a "forma de pensar do Getsêmani". Isso encaixa-se com o que Betty Scott Stam, que juntamente com seu marido,

---

[28]Vernon Grounds, p. 40, 41.

John, foi decapitada pelos comunistas no interior longínquo da China (escrito na Bíblia de Betty Elliot) "Senhor, eu abandono todos os meus planos e propósitos, todos os meus desejos e expectativas e aceito a sua vontade para a minha vida. Eu dou a mim mesma, a minha vida, o meu tudo, completamente a Ti para ser Tua para sempre. Encha-me e manda-me com o Teu Espírito Santo. Usa-me como Tu queres, manda-me para onde Tu quiseres. Faça o Teu desejo por completo em minha vida a qualquer custo, agora e para sempre".

Jim, o esposo da Betty Elliot, também foi martirizado pelos aucas em janeiro de 1956. Ele entendeu que aceitar o desafio de influenciar outros para Deus exigia uma renúncia igual àquela que Jesus impôs sobre os seus futuros líderes. Foi essa virtude que ele queria comunicar com a seguinte frase: "Não é tolo quem larga o que não pode segurar para pegar o que não pode perder".

Compaixão

A terceira lição que Jesus ensinou aos seus seguidores foi a da importância da compaixão. Porque Jesus trabalhou tão arduamente? Porque ele não tirou férias ou agradou-se com a tentativa de seus discípulos de proteger sua privacidade? A resposta é simples. Jesus sentiu profunda compaixão dos necessitados. "Vendo ele as multidões, compadeceu-se delas, porque estavam aflitas e exaustas como ovelhas que não têm pastor" (Mt 9.36). Não havia nenhum médico moderno treinado para tratar dos doentes. Não havia farmácias para comprar os remédios. Não havia hospitais para fazer cirurgias; e mesmo que se houvesse, não seria possível operar alguém. Jesus curou os doentes. Mesmo os desprezados e os rejeitados leprosos despertaram sua compaixão (Mc 1.41). Os discípulos não pensaram que mendigos cegos fossem dignos do tempo de Jesus. Mas o Senhor, "Condoído [...] tocou-lhes os olhos, e imediatamente recuperaram a vista e o foram seguindo" (Mt 20.29-34). Ele chorou no túmulo de Lázaro, pois sentiu intensamente a perda de alguém amado (Jo 11.35).

Mulheres e crianças foram preciosas para o Senhor, pois elas eram os membros de menor importância da sociedade. Surpreendente foi o elogio de Jesus à mulher pecadora da cidade que veio à casa de Simão, o fariseu. Ela ungiu a sua cabeça com alabastro de ungüento, molhou os seus pés com lágrimas e revelou seu grande amor por ele (Lc 7.36-50). Tal conduta, da parte de um dos líderes religiosos do primeiro século na Palestina, era impensável. Os discípulos provavelmente precisaram repensar seus valores sociais. Quando a igreja de Jerusalém enfrentou dificuldades com a distribuição diária da comida para as viúvas, foram os discípulos, transformados em apóstolos-líderes, que provaram que eles tinham corretamente aprendido de Jesus.

Os discípulos tentaram impedir mães de trazer suas criancinhas para Jesus para que este pudesse tocá-las. Mas Jesus ficou indignado com aqueles futuros líderes. Eles ainda não tinham aprendido a natureza do Reino que Deus oferece somente àqueles que como criancinhas vêm a ele em completa dependência (Mc 10.13-15). Líderes atuais não devem jamais esquecer essas lições. A liderança que exclui o fraco, o doente e os membros esquecidos da sociedade, não reflete o ensino de Jesus.

O Líder e as Finanças

Em quarto lugar, Jesus ensinou uma nova maneira de pensar sobre o dinheiro. Não devemos concluir que ele não se interessou por dinheiro, mas, sua maneira de tratar as posses e recursos financeiros não tem muitos adeptos hoje. Paulo descreveu Jesus como aquele que viveu na graça de Deus na área financeira. "Sendo rico, se fez pobre por amor de vós, para que, pela sua pobreza, vos tornásseis ricos" (2Co 8.9). Um líder cristão deve adotar essa mesma postura.

Jesus ensinou que era errado ajuntar tesouros na Terra. O lugar certo para guardar dinheiro é no Céu: "onde ladrões não escavam nem roubam" (Mt 6.19,20). Ser um servo (escravo) de "mamom" (riquezas), significa ter perdido o direito de servir ao Senhor (Mt 6.24). Em lugar da ansiedade por causa do dinheiro e da insegurança financeira própria de homens seculares, o líder cristão deve buscar o reino e não o lucro. Deus sabe quais são as necessidades dos seus filhos e acrescentará todas as coisas aos que põem em primeiro lugar o Reino de Deus (Mt 6.33).

O Senhor enviou seus aprendizes para preparar o caminho para a sua pregação. Ele lhes enviou sem dinheiro ou trocas de roupa (Mt 10.7-10). Eles foram obrigados a depender de Deus para abrir portas amigáveis e encontrar lares em que pudessem receber a alimentação e o cuidado. Eles tinham que viver pela fé. Hudson Taylor, da Missão do Interior da China, acreditava que deveria pedir a Deus somente fundos para sustentar a Missão. Ele acreditava que a obra de Deus, feita à maneira de Deus, não poderia jamais sofrer falta de recursos. Líderes que preocupam-se ansiosamente sobre dinheiro são ainda neófitos no programa de treinamento divino da fé. O pastor Paulo Alfaro Jr., de Presidente Prudente, fundou a igreja Nova Jerusalém sem salário fixo. Confiou em Deus para mandar o sustento necessário para a sua família durante seis anos. Ele confirmou que um homem de fé pode contar com a provisão de Deus.

Evidentemente, Judas, o tesoureiro do grupo de discípulos, várias vezes não tinha dinheiro sobrando. Quando um fiscal veio coletar um imposto, Pedro teve que receber a ajuda de Jesus que mandou-o fisgar um peixe e pegar a moeda encontrada em sua boca para saldar aquela obrigação (Mt 17.24-27). Como Paulo, líderes que seguem no caminho de Jesus precisam ser capazes de dizer: "já aprendi a contentar-me com o que tenho. Sei estar abatido e sei também ter abundância; em toda a maneira e em todas as coisas, estou instruído, tanto a ter fartura como a ter fome, tanto a ter abundância como a padecer necessidade" (Fp 4.11, 2).

Jesus ensinou generosidade através de suas palavras e ações. "Mais bem-aventurado é dar que receber", foi sua afirmação (At 20.35). Ele contou a parábola do administrador infiel que perdoara partes dos débitos dos credores de seu mestre. Jesus usou aquela estória para ensinar sabedoria ao investir-se na vida de outros. "E eu vos recomendo: das riquezas de origem iníqua fazei amigos; para que, quando aquelas vos faltarem, esses amigos vos recebam nos tabernáculos eternos"(Lc 16.9). Isso significa que a alegria futura de um líder será maior se ele compartilhar com os necessitados, do que, fazendo lucro. Nenhuma organização cristã deve ser indiferente às necessidades dos pobres e famintos. A marca do líder no caráter do grupo poderá ser observada facilmente.

Cristo surpreendeu seus discípulos ao declarar ao jovem rico que perguntou como poderia ter certeza que iria para o Céu: "Vai, vende tudo o que tens, dá-o aos pobres e terás um tesouro no céu; então, vem e segue-me" (Mc 10.21). Assim, Jesus deixou o líder (membro do Sinédrio?) ciente de que a porta para o céu é aberta aos generosos. A precondição para segui-lo seria a distribuição das suas riquezas entre os pobres. Jesus, então, declara definitivamente que viúvas, órfãos e destituídos são pessoas sob o cuidado especial da parte de Deus. Há algum líder vivo, hoje, que exigiria que uma pessoa rica desse suas possessões aos pobres, em vez de dar à sua organização?

Outro exemplo da forma diferente de Jesus olhar para o dinheiro pode ser visto em sua reação à sugestão de Judas de que Maria deveria vender sua valiosa "libra de bálsamo de nardo" por trezentos denários e dar o dinheiro aos pobres. A reação do Senhor provavelmente surpreendeu a todos os presentes, especialmente aos seus discípulos. "Porque os pobres, sempre os tendes convosco, mas a mim nem sempre me tendes" (Jo 12.1-8). Um ato de sacrifício por Jesus é ainda mais importante do que aliviar as necessidades dos pobres. Um líder comprometido com o Senhor, precisará de sabedoria para avaliar como o dinheiro é gasto, para que Deus seja supremamente glorificado.

Permanência em Cristo

Uma quinta lição que os discípulos precisavam aprender de Jesus era a necessidade de permanecerem em Cristo para poderem dar frutos. Cristo é a videira verdadeira. Somente os galhos, corretamente ligados a ele, serão frutíferos. Nenhum galho pode dar fruto de si mesmo. Jesus queria convencê-los de que o segredo do sucesso de dar frutos está no permanecer nele. Nas palavras de Jesus: "Quem permanece em mim, e eu, nele, esse dá muito fruto; porque sem mim nada podeis fazer" (Jo 15.5).

O significado que Cristo desejou comunicar parece ser o seguinte: Primeiro, é um relacionamento íntimo e espiritual entre um líder e seu Senhor. Naquela mesma noite, durante a Ceia, Jesus, tendo pegado a bacia de água, lavou os pés dos discípulos. Quando Pedro contestou, Jesus disse que sem aquele banho, Pedro não teria parte com ele (Jo 13.8). O sentido espiritual de Jesus ter lavado os pés referia-se ao fato que Ele realiza remoção de pecados diariamente dos cristãos. Isso é claro segundo suas palavras: "Quem já se banhou não necessita de lavar senão os pés" (v.10). Segundo, o permanecer em Cristo também se refere ao obedecer as suas palavras (v.17). Já que Jesus é o Cabeça da Igreja, é a sua vontade e os seus mandamentos que necessitam marcar a essência da vida de seu povo (v.10). O líder é aquele que deve mais claramente entender as "palavras" do Senhor para que elas sejam guardadas.

João, escrevendo mais tarde para uma igreja amada, lembra seus líderes que: "Todo aquele que permanece nele não vive pecando; todo aquele que vive pecando [...]" (1Jo 3.6). Líderes frutíferos que permanecem em Cristo demonstrarão repugnância ao pecado. Eles serão rápidos para arrepender-se e começar de novo. Um dos valores da Ceia do Senhor que precisa ser mantido em mente é que qualquer pessoa que participar da Ceia em arrependimento verdadeiro não precisará temer o julgamento do Senhor. Por outro lado, aqueles que, como os líderes de Corinto, não se examinarem e nem julgarem a si próprios sofrerão a disciplina de Deus (1Co 11.28-32).

Capítulo 5

AS RESPONSABILIDADES DO LÍDER QUE DEUS USA

O estado de uma igreja, de um grupo, uma empresa ou uma nação, reflete a qualidade de seus líderes. A falta de ação de um líder promove a morte lenta. As ações erradas resultam na desintegração, no conflito e na perda. A liderança efetiva promove o bem-estar e o progresso. Um líder bem intencionado precisa saber como liderar bem, e esperar que possa ganhar a aprovação que todos os homens de Deus esperam receber. John Gardner desenvolveu uma lista de nove atividades ou responsabilidades que um líder necessita fazer para liderar bem. Elas são aplicáveis a todos os tipos de sociedades, sejam elas cristãs ou não.

Visão

A primeira responsabilidade é focalizada na visão. O homem que Deus usa necessita ter uma visão do alvo e dos objetivos finais da organização. Ele precisa, em oração, olhar para o futuro com sua imaginação e perceber o propósito central que trouxe a igreja ou o grupo à existência. Ele vê claramente o final para o qual ela existe. Cada investimento em tempo, em dinheiro, em pessoas e em sacrifício necessitam mover na direção daquele objetivo.

Para líderes cristãos, a glória de Deus, refletida em seu Reino e em sua Justiça, será o alvo final de todo esforço e planejamento organizacional. A palavra "reino", como Jesus a usou nos evangelhos sinópticos, significa "reinar". "Deus conhecido, amado e sua vontade obedecida", seria outra forma de entender o que o Reino de Deus representa.

Robert Kennedy percebeu a importância de uma visão quando disse: "Você vê as coisas como elas são; e pergunto, por que? Mas eu sonho acerca de realidades que nunca existiram e pergunto, 'por que não'"? A famosa frase de Martin Luther King: "Eu tenho um sonho", foi um caminho memorável de se referir a essa visão.

A visão de um líder cristão do Reino precisa tornar-se suficientemente clara em sua mente para identificar os alvos e os marcadores específicos para realizar sua visão. Ele se surpreenderia com o comentário, "sempre fizemos assim", somente se estivesse convencido de que sua visão não poderia ser alcançada de uma forma mais eficiente.

Paulo foi um líder visionário. Ele se manteve fiel a uma visão de evangelização de uma parte do nordeste do Império Romano, mas não considerou somente aquela área. Quando ele decidiu prosseguir à Espanha, via Roma, ele o fez para completar a obra na qual a sua visão consistia (cf. Rm 15.23, "Mas, agora, não tendo já campo de atividade nestas regiões [...] penso em fazê-lo quando em viagem para a Espanha"). Provavelmente, a visão de Paulo incluíra a evangelização de toda a bacia mediterrânea, para que, o sucesso em uma região impelisse-o a outra.

O grandioso apóstolo não excluiu o gerenciamento de sua liderança. Ele trabalhara assiduamente para carregar o fardo das igrejas, da pregação, do ensino, do treinamento de anciãos (pastores) e ainda continuou com uma visão do quadro geral. O gerenciamento eficiente sem a liderança eficiente é, como um autor escreveu, "como arrumar cadeiras do convés no Titanic".[29] "Muitas vezes, os pais são também presos na armadilha do paradigma do gerenciamento, pensando em controle, em eficiência e em regras, em vez de direção, de propósito e de sentimento familiar".[30] A direção da família de Deus, muitas vezes, reflete uma visão semelhante, que é limitada.

---

[29]S. Covey, op., cit, p. 102.
[30]Ibid., p. 103.

Seria de grande proveito comparar as características do "homem que Deus usa" segundo Oswald Smith. "Ele tem somente um grande propósito na vida. Ele, pela graça de Deus, remove cada obstáculo de sua vida. Ele tem se colocado, totalmente, à disposição de Deus. Ele tem aprendido como prevalecer em oração. Ele é um aluno da Palavra. Ele tem uma mensagem viva para o mundo perdido. Ele é um homem de fé, que espera resultados. Ele trabalha com a unção do Espírito Santo".

Valores

O homem de Deus precisa liderar seus seguidores para elevar a estima dos valores do grupo. A vida de Moisés é um exemplo de tal liderança. Ele acreditou, de todo o seu coração, que a liberdade era melhor do que a escravidão. Paulo, clara e ruidosamente, proclamou a liberdade aos gálatas (Gl 5.1,13). A perda da importância da liberdade na vida cristã significava a perda de tudo. Significava estar escravizado aos pobres elementares espíritos do mundo, em vez do poderoso e glorioso Espírito de Deus (Gl 4.8,9). Os pastores e os professores de seminários necessitam diariamente lembrar à igreja aos valores cristãos que fazem dos crentes pessoas diferentes dos mundanos. Uma comunhão de amor não cresce automaticamente na igreja. É por isso que o Novo Testamento repetidamente exorta aos seus leitores aos atos mútuos de amor, de encorajamento e de perdão. Esses são apenas alguns dos valores mais altos que precisam ser continuamente afirmados pelos líderes na família de Deus.

Um líder precisa reafirmar os valores que identificam o grupo. Porque um guia competente sabe o caminho, ele faz com que a estrada certa pareça a mais natural e a melhor. Jesus convidou homens a segui-lo, contudo, não, cega ou ignorantemente. Os discípulos teriam que negar a si próprios, tomar sua cruz diariamente e seguir cuidadosamente nos passos de Jesus (Lc 9.23). O valor que os seus seguidores ganhariam, contudo, seria inquestionavelmente digno disso. Eles salvariam suas "vidas" (v. 24). Um bom líder necessita saber pelo que se é digno de viver ou de morrer. É por isso que Jesus convidou os cansados e os oprimidos para aceitar o seu jugo (Mt 11.28). Jesus modelou os valores centrais do Reino através de seu estilo de vida e de atitudes. Ele ainda chama líderes para "aprender dele" (v. 29).

Em Corinto, os pastores-líderes que assumiram a liderança após a partida de Paulo, de modo abismal, fracassaram. Manter a unidade, o respeito acima de tudo, o amor pelos irmãos e irmãs em Cristo não foram prioridades em suas agendas. Eles escolheram os nomes de líderes ausentes, como Pedro, Paulo e Apolo, para alcançar os interesses próprios. As ambições políticas dos líderes na igreja de Corinto foram aumentadas, enquanto a causa de Cristo foi deixada de lado. Os valores ilegítimos exaltavam à "sabedoria" e às manifestações sobrenaturais, tais como o dom de "línguas". Os indivíduos carismáticos atingiram um prestígio exagerado. A afirmação de Paulo de amor *agape*, como o valor central da Igreja em 1 Coríntios 13, precisa de constante ênfase hoje. Sem o amor, outros valores são inúteis. Um líder piedoso poderá saber que a auto-importância carnal obscurece os fatos. Ela enterra o alicerce na areia, e portanto, a organização titubeia, mesmo antes da chegada da tempestade.

Motivação

Um líder estimula os membros do grupo a alcançar alvos e manter valores, que o grupo assegura como preciosos. Para ser um motivador, implica que um líder tenha a habilidade de despertar e mover as pessoas à ação e à realização, ao mesmo tempo que, satisfaz às suas necessidades. Isso inclui a mobilização e o agrupamento de homens e de mulheres para aceitar a visão e o trabalho para o cumprimento da obra. O treinamento refere-se ao compartilhamento de conhecimento e de habilidades para a realização da visão da comunidade. John Page, em uma tese de Ph.D. apresentada à Universidade de Nova York, em 1984, descreve o começo e o desenvolvimento de quatro igrejas em Rio Comprido, no Rio de Janeiro. O líder, pastor João, distingui-se como um motivador e um mobilizador natural. Qual seria a outra forma de alguém começar uma igreja motivando favelados a trocarem seu sistema de valores dando generosamente, do pouco que tinham, para construir seu templo? O entusiasmo carrega o dia quando fatores mais importantes, como, verdade doutrinária e amparo bíblico estão em escassez.

Uma que, um líder precisa convencer seus seguidores de que pode resolver seus problemas da melhor forma possível, isso implica que ele necessita motivar outros a "comprarem" sua visão. Não é suficiente anunciar os alvos; cada seguidor precisa ser altamente motivado.[31] Para um líder motivar alguém, ele precisa transmitir sua visão tão persuasivamente, que seus seguidores irão "adotá-la", alegremente investindo vida, energia, dinheiro e preocupação nela. Charlie Tremendous Jones, corretamente, entende que um líder tem que ser um entusiasta. Sua própria convicção da importância em realizar sua visão, o motiva. Pouco importa quão duro alguém trabalha. A questão é, o quão empolgado ele está por sua visão. O entusiasmo é contagioso.

Na realidade, é impossível alguém motivar outra pessoa pois, a motivação, é uma atitude gerada dentro do indivíduo.[32] Ela surge da persuasão que convence os seguidores de que, os alvos claramente focalizados, são dignos de todo o esforço, que é necessário para alcançá-los.

---

[31]Myron Rush, *The New Leader*, Wheaton, IL: Victor Books, 1987, p. 109.

[32]Ibid., p. 109.

Um líder normalmente controla os incentivos em uma organização secular. Ele estará de acordo com o nível de pagamento, com as expectativas trabalhistas e os benefícios. Porém, para uma igreja, em que os membros contribuem gratuitamente, em vez de receberem remuneração monetária, outros tipos de benefícios devem ser considerados.

Paulo identificou a graça como o elemento cristão motivador. Ela foi o fator persuasivo que levou os macedônios a dar generosamente, de sua opressiva pobreza (2Co 8.1). "No meio de muita prova de tribulação, manifestaram abundância de alegria, e a profunda pobreza deles superabundou em grande riqueza da sua generosidade" (2Co 8.2). Porque a graça motivadora raramente afeta as igrejas evangélicas de hoje? A graça não foi algum poder esotérico manipulador que tomara conta dos cristãos da Macedônia e obscurecera seus melhores interesses. "Graça" refere-se a forma de ver que olha para o futuro e está em concordância com as palavras de Jesus: "Mais bem-aventurado é dar que receber"(At 20.35).

Essa graça motivadora brota no solo rico da fé, olhando, além do sacrifício imediato, para a alegre satisfação da eternidade. Embora ela regozije-se na antecipação do prazer futuro é necessário, para o líder persuasivo, convencer os membros a sacrificar, como os Macedônios. Um grande líder, neste caso, Paulo, é capaz de motivar outras pessoas mostrando o desprezo pelo custo presente. Através de palavras e ação, Paulo convenceu seus ouvintes de que investimentos no Céu têm um retorno superior a qualquer valor deste mundo (Mt 6.20, 21; 2Co 4.16,17).

O amor é o maior motivador de todos. "Acima de tudo isto, porém, esteja o amor, que é o vínculo da perfeição", escreveu Paulo (Cl 3.14). "Nós amamos porque ele nos amou primeiro" (1Jo 4.19). O amor de Cristo constrange (2Co 5.14), isto é, ele tem um poderoso incentivo constituído nele próprio. Paulo estava ciente de que o amor de Cristo não funcionava automaticamente como a batida de um coração. Dr. George Samuel, perito em medicina nuclear, motivador ardente e treinador de evangelistas para a Índia e o mundo, disse que: "Amor *ágape* tem um mínimo de emoções e um máximo de reconhecimento do valor e dignidade das pessoas".[33] Paulo viu isso como uma atitude, que precisava ser "vestida" como uma capa. Quando esse amor *ágape* está faltando, nenhuma ação religiosa ou esforço espiritual é aceitável a Deus. "Ainda que eu distribua todos os meus bens entre os pobres e ainda que entregue o meu próprio corpo para ser queimado, se não tiver amor, nada disso me aproveitará" (1Co 13.3). O proveito nessa passagem é o prazer de Deus e a recompensa eterna do líder. Jamais poderá haver algum benefício eterno brotando da liderança cristã que exclua o amor como o seu ingrediente básico.

Administração

Um homem que Deus usa necessita organizar e administrar as atividades e ações de Deus na Terra. Ele precisa decidir o que será feito, e a seqüência de ações; ele planeja os acontecimentos, dando prioridade ao que é necessário. Empurra os eventos e as atividades desnecessárias para a periferia. O bom líder gasta pouco tempo apagando incêndios que irrompem na organização. Ele se esforça muito mais no ensejo de tomar decisões que previnam as tensões e os conflitos, do que nos problemas embrionários que poderão provocar incêndios.

O ministério de Paulo, em Éfeso, nos dá uma rápida percepção da administração que caracteriza a liderança preventiva, que difunde situações explosivas antes que estas destruam o trabalho de Deus. Durante os dois anos e meio que Paulo estava pastoreando a igreja naquela cidade cosmopolita, ele decidiu dar mais prioridade ao ensino. Em suas próprias palavras: "Portanto, eu vos protesto, no dia de hoje, que estou limpo do

---

[33]Notas do Instituto Haggai para Treinamento Avançado de Liderança, *"The People to be Mobilized"*, Segunda Palestra.

sangue de todos; porque jamais deixei de vos anunciar todo o desígnio de Deus" (At 20.26-27). Por detrás dessas palavras reveladoras, está a quantidade exaustiva de trabalho e de fadiga de expulsar os falsos professores ("lobos", v.29), que esperavam qualquer abertura na cerca para levar uma das ovelhas desprotegidas. "Todo o desígnio de Deus" tem que ser efetivamente transmitido aos pagãos para que a maturidade e o conhecimento espiritual pudesse ser indiscutível. Para esse fim, Paulo lembra os efésios como ele não cessou de admoestar cada um com lágrimas durante todo o tempo de seu ministério em Éfeso (v.31). A boa liderança pressupõe que a pessoa em comando tenha uma habilidade organizacional. Saber onde começar, que passos tomar e qual é a melhor ordem na qual as ações precisam acontecer para atingirem bem seus objetivos desafia, muitas vezes, completamente a habilidade de um líder. A administração organiza o processo.

Mesmo a educação progride em pequenos passos. Quem poderia imaginar que seria possível ensinar geometria para uma criança de seis anos de idade? As crianças aprendem através da adição de cada novo passo ao conhecimento já adquirido. São necessários - para o sucesso de se atingir um alvo ou organizar um grande evento (o Geração 79 é um bom exemplo) - muitos passos planejados, em ordem, do princípio ao fim.

Os gráficos do "Pert" (*Program Evaluation and Review Technique* - Programa de Avaliação e Técnica de Revisão), podem oferecer uma ajuda valiosa para o planejamento. O Pert é "um instrumento de controle pela definição das partes de um trabalho, e pela reunião dessas partes em forma de cadeia, de maneira que a pessoa responsável por cada parte e o encarregado pela administração geral saibam o que deve acontecer e quando".[34] O principal valor de um gráfico Pert é para ajudar um líder a desenvolver seu alvo de forma clara, e depois, planejar uma ordem

---

[34]S. D. Faircloth, *Guia Para o Plantador de Igrejas*, Queluz: Núcleo, 1985, p. 30, citando em B. J. Hansen, *Practical Pert*, Washington D. C.: American House, 1965, pp. 10, 11.

para que todos os fatores que precisam ocorrer para que aquele alvo seja alcançado. O fracasso em administrar bem um programa, pode trazer à tona, uma das bem conhecidas leis de Murphy: "Tudo que pode sair errado, sairá errado"! Isto explica a causa da Bíblia Vida Nova ter levado quatorze anos para ser lançada, em vez dos três anos esperados. Todos os passos necessários para a realização do projeto não foram vistos antes do tempo, nem a ordem necessária dos eventos. Deus seja louvado que a Bíblia saiu da impressora, mesmo depois de muitas perdas desnecessárias e de barreiras vencidas.

Criação de uma Unidade Funcional

Esta tarefa do líder focaliza-se nos inter-relacionamentos que pessoas, em um grupo ou igreja, precisam manter para que funcione apropriadamente. A administração é relacionada com o planejamento e a organização. A unidade funcional integra as contribuições necessárias dos membros do grupo para que este funcione corretamente. É o líder que precisa fomentar essa interação positiva entre os componentes vivos, tanto quanto um engenheiro precisa produzir partes de uma máquina para que esta funcione como uma unidade.

Esta função complexa de uma igreja, como um "corpo", apóia o ensino de Paulo sobre os quatro ministérios de liderança da igreja, em Efésios 4. Apóstolos, profetas, evangelistas e pastores-mestres, todos eles, equipam ou treinam os membros da igreja para desenvolver seus diversos ministérios (*diakonia*, v. 12), sendo direcionados para a "edificação do corpo de Cristo". O ministério de preparação e o conseqüente "serviço" promovem a unidade da fé (v. 13). Essa, por sua vez, promove o crescimento da sabedoria do Filho de Deus e a maturidade na qual a "plenitude de Cristo" pode ser claramente vista.

O corpo (Igreja), como um todo, necessita estar bem ajustado e mantido unido, por aquilo que cada parte supre, caso cada uma funcione apropriadamente. Assim, o corpo cresce e aumenta a edificação de si mesmo em amor (v. 16).

Várias igrejas fracassam no crescimento porque os líderes não treinam seus membros para contribuir para o todo. A unidade funcional não é realizada. Os membros não cooperam em edificar uns aos outros. A rivalidade e a inveja tomam o lugar do amor, que é o ingrediente básico. Paulo descreve o oposto de "unidade funcional", quando projeta a monstruosidade do "corpo inteiro ser um olho" ou o pé falando: "Porque não sou mão, não sou do corpo" (1Co 12.14, 15, 17).

A unidade funcional une as pessoas no grupo de uma forma que enriquece a utilidade de seus dons para toda a comunidade. Dar e receber ajuda mutuamente dentro da igreja não ocorre sem ajuda, estímulo, humildade e amor. Embora seja muito mais fácil alinhar 100 pessoas nos bancos em frente do pregador, essa não é a maneira que a unidade funcional é criada. O ensino e o treinamento cuidadoso, possibilitando oportunidades e avaliando o desempenho, são fundamentais. Os elogios e as críticas não ofensivas, todos eles, contribuem para a unidade que leva a igreja a funcionar organicamente. Assim, ela cresce em tamanho, e amadurece na "estatura da plenitude de Cristo" (Ef 4.15). Uma sugestão excelente, sobre a integração de serviços variados dos diferentes componentes da vida de uma igreja para o crescimento e a unidade é o livro de Christian Schwartz, *O Desenvolvimento Natural da Igreja* (Curitiba: Editora Evangélica Esperança, 1996).

Acompanhamento do Processo
de Crescimento

Segundo Paulo, a contribuição de líderes em uma igreja, destina-se à formação de líderes secundários. Paulo também exortou Timóteo a procurar homens fiéis e capazes para instruir; homens que, por sua vez, seriam capazes de ensinar outros (2Tm 2.2). Primeiro, é necessário que o futuro líder seja fiel - uma virtude que se adquire com muito tempo. Ele, então, precisa de instrução, como a que Timóteo recebeu de Paulo. Tempo e paciência são necessários. Depois, esses homens precisam de testes - nunca feitos em um ou dois dias. A paciência e a perseverança são necessários para essa função de liderança.

Jesus pacientemente pastoreou seus discípulos pelo método de troca de foco, da vantagem pessoal deles, para os interesses do Reino. Jesus não tornou pescadores de homens e cobradores de impostos em ganhadores de almas do dia para à noite. Três anos de ensino e exemplo constantes foram apenas suficientes para lançá-los nas profundezas da responsabilidade da liderança.

Segundo, liderança exige a capacidade que depende do talento e da experiência de treinamento. Winston Churchill, certa vez, lamentou a tragédia de uma pessoa indicada para uma atividade importante, condizente com seus talentos, perfeitamente adequada para a oportunidade, mas sem treinamento e, portanto, desqualificada para aquilo que teria sido a sua melhor hora.

Os líderes bíblicos não podem ser neófitos, jovens despreparados ou inexperientes, mas, pessoas maduras. Paciência, talvez, é tudo o que se requer. Roma não foi construída em um dia, nem artesãos habilidosos construíram as catedrais da Europa, mundialmente conhecidas, em apenas um ano. A paciência não pode ser ignorada no desenvolvimento da liderança, nem quando um líder está fazendo de sua visão, uma realidade.

Explicando e Exemplificando

Uma pessoa que incorpora o caráter de uma organização, e identifica-se com sua pessoa e vida, cumpre a chave da função de liderança. Tome Hudson Taylor como um exemplo. Ele viveu intensamente, e deu vida à Missão no Interior da China, não só como fundador, mas como o missionário que exemplificou tudo que o caracterizava a Missão. É claro, ele não estava fazendo mais do que Jesus tinha feito. Jesus, completamente, identificara-se com o movimento que liderou, e líderes do Sinédrio puderam ver claramente que Pedro e João, pescadores comuns, estavam de alguma forma moldados pelo caráter dele (At 4.13).

Paulo escreveu aos Filipenses que o cristão ideal é aquele que tem adotado a mente de Jesus, que, como o mais atraente de todos os mestres, deixara uma imagem clara para ser imitada. Um líder incorpora o grupo que lidera de forma semelhante a que a cabeça se incorpora ao corpo. Os gálatas foram excluindo a si mesmos de Cristo para seguirem ensinos judaizantes e tornarem-se legalistas. Para Paulo, isso significou que necessitava dar nascimento a eles outra vez para que neles Cristo fosse formado (Gl 4.19).

Representação

Da forma que um pai representa sua família, o líder, enquanto homem de Deus, responsavelmente garante o resultado, que ele e seus seguidores tem buscado. Jesus cumpriu sua função indo à Jerusalém antes de seus discípulos. "Depois de fazer sair todas as (ovelhas) que lhe pertencem, vai adiante delas, e elas o seguem, porque lhe reconhecem a voz" (Jo 10.4). Ele garantiu o presente do Reino para aqueles que fossem incluídos em seu pequeno rebanho (Lc 12.32). Ele não falharia em confessar os seus nomes diante de Deus, o Pai (Mt 10.32). Ele não pediria a seus seguidores para carregar-lhes a cruz, a menos que, ele carregasse a sua própria cruz (Mc 8.34). Jesus defendeu seus discípulos, quando os acusadores os culparam (Lc 6.1-5).

Renovação

Um líder, nas mãos de Deus, precisa superar a inércia e as forças reacionárias que solidificam a tradição que começou a se formar nas mentes dos membros do grupo desde o primeiro dia que se reuniram. Métodos e técnicas tornam-se sagradas para a Igreja e instituições, fazendo com que mudanças saudáveis tornem-se difíceis ou até impossíveis. "A forma que sempre foi feita" pode sufocar o gênio de mentes criativas. Toda invenção útil tem tido que substituir as metodologias desgastadas e as vacas sagradas; uma mudança de paradigma é necessária para que um automóvel substitua um cavalo.

A tradição não é necessariamente má. Sem as rotinas e os hábitos, as pessoas caem na apatia e na confusão. Muito pouco pode ser realizado sem uma rotina. Contudo, quanto melhor é um líder, maior serão as chances dele ouvir e encorajar as idéias inovadoras que surgirão nas organizações.

Tempos atrás a melhor forma de se evangelizar era pelos encontros nas ruas. Hoje, o rádio e a televisão quase tornaram o evangelismo de rua algo obsoleto. Nossa cultura ocidental, muda rápida e abruptamente para práticas ineficientes. Com isso, as formas interessantes e criativas de se resolver problemas e de se alcançarem alvos, são muito bem-vindas. É o líder que determina responsavelmente o tom da organização. Ou ele encoraja a inovação ou desencoraja a mudança, mesmo quando ela não ameaça os valores centrais do grupo. O líder precisa de novas idéias, e da sabedoria de Salomão, para avaliar as forças sufocantes reacionárias e distingui-las dos ventos devastadores da mudança que promete melhoramentos e eficiência (cf. Ef 4.14).

Capítulo 6

Impedimentos à Liderança Efetiva

Qualquer líder que tenha tentado organizar e dirigir uma instituição para Deus, ou implementar um programa, tem descoberto que forças opostas resistem ao progresso que ele vislumbra. Todo movimento inicial na Terra, para ser levado à frente, encontra resistência. Somente no vácuo é que objetos podem seguir adiante sem obstáculos ou oposições. Um líder eficiente planeja cuidadosamente como superar a resistência e tornar a oposição em algo vantajoso para ele.

Incredulidade

Na maioria das vezes que um líder procurar implementar uma visão mais abrangente nas mentes de seus seguidores, encontrará atitudes de pessoas que exclamam: "Isso não pode ser feito". O entusiasmo pode ser baixo e a falta de motivação pior ainda, ambos componentes criam uma parede de resistência alta e espessa. A maioria dos indivíduos tem um passado de derrotas e de fracassos crônicos. O acerto de alvos não tem sido um ponto forte na vida deles. Eles observam o entusiasmo do líder, tentando passar sua visão de uma grande obra para Deus, e decidem silenciosamente que serão expectadores ou participantes sem compromisso ativo. É comum encontrar a falta de entusiasmo e de motivação. A conseqüência é um muro espesso e alto.

Jesus ficou indignado diante da incredulidade de seus seguidores. "Ó geração incrédula, até quando estarei convosco? Até quando vos sofrerei?" (Mc 9.19). A resistência do demônio controlando o menino, nessa história dramática, fez com que os discípulos diminuíssem suas expectativas. Eles tinham feito tudo que eles sabiam fazer, mas o espírito imundo não tinha saído do garoto. A impotência dos discípulos exerceu um efeito negativo no pai. Quando Jesus desceu do monte, o pai trouxe o jovem para Jesus, mas, por pouco, sua esperança havia sido destruída. As palavras do pai, "mas, se tu podes alguma coisa, tem compaixão de nós e ajuda-nos" (v.22), provocou a exclamação de Jesus: "Se podes! Tudo é possível ao que crê" (v.23).

Essas palavras de Jesus devem ficar gravadas no coração de todos os candidatos à liderança piedosa. Quer sua visão exija a implementação de grupos pequenos, que efetivamente cuidem de cada um de seus membros e alcancem a vizinhança com zelo evangelístico; ou, a transformação de panelinhas na igreja em um "corpo" genuíno, repleto do amor e da ajuda mútua, o líder precisará de grandes dosagens de fé.

Inconstância

Tiago alerta-nos de que o homem inconstante é instável em todos os seus caminhos (Tg 1.8). Esse termo pode ter mais de um significado. Ele pode referir-se à pessoa que não é sempre honesta e sincera. Ela talvez diga uma coisa na presença de uma pessoa, mas outra coisa na sua ausência, "o que é arruinador para relacionamentos harmoniosos".[35]

Quando a inconstância refere-se a um compromisso ela significa negar, na prática, aquilo que uma pessoa professa com os lábios. Alguns líderes

---

[35]Derek Prime, *A Christian's Guide to Leadership*, Chicago: Moody Press, 1966, p. 56.

são inconfiáveis; e alguns seguidores são inconstantes. Eles não estão dispostos a pagar o preço do envolvimento. O compromisso com Deus e o seu serviço se tornam esporádicos e passageiros.

Saul, o primeiro rei de Israel, oferece um exemplo desse fracasso torpe na liderança. Primeiramente, ele parecia aceitar a ordem do Senhor para destruir totalmente os amalequitas e suas posses. Porém, quando chegou o momento crucial de submissão à ordem do Senhor, ele fez o oposto (1Sm 15). Saul ponderou sua decisão, assumindo que sacrificando algumas das ovelhas perfeitas e dos bois que o povo tinha capturado (v.15), agradaria a Deus; assim, ele se apossaria do melhor do despojo. Provavelmente, ele queria obedecer a Deus, mas ele também quis agradar ao povo, permitindo que eles guardassem parte do despojo. Saul provocou a ira de Deus e perdeu o reino. "O SENHOR rasgou, hoje, de ti o reino de Israel e o deu ao teu próximo, que é melhor do que tu. Também a Glória de Israel não mente, nem se arrepende, porquanto não é homem, para que se arrependa" (1Sm 15.28,29).

O amor por Deus e o amor pelo mundo são incompatíveis (1Jo 2.15). Total compromisso com Deus e com Mamom, o deus do dinheiro, é impossível (Mt 6.24). Um líder piedoso deve colocar Deus e seu Reino como prioridade em sua vida. Nós precisamos caminhar resolutamente nessa direção, se queremos fugir da armadilha da inconstância. A ordem bíblica chama líderes para purificar seus corações da inconstância (Tg 4.8).

Desânimo

Entre as barreiras negativas que um líder precisa superar está o desânimo: aquela atitude de apatia e entrega a um negativismo prevalecente. O desânimo, como é sugerido etimologicamente, significa a perda de ânimo, uma carência de esperança e de algo que possa motivar a pessoa a continuar se esforçando se faz presente. A coragem para continuar exige alguma esperança do sucesso, mas, quando os seguidores perdem a esperança aparece o desânimo, transformando o futuro em cinzas e decadência. Os líderes têm a função de injetar a esperança. Eles mesmos precisam ter esperança, como Moisés quando implorou a Deus que não destruísse Israel depois do episódio do bezerro de ouro, que virara objeto de idolatria. Como podemos ver em Êxodo 32, talvez pudéssemos facilmente concluir que Deus housesse se desanimado mais com Israel do que o próprio Moisés. Realmente, esse foi um teste que esse líder notável passou sem vacilar. Ele não permitiu que a ambição pessoal distorcesse a sua perspectiva. Não permitiu também que a dura cerviz do povo destruísse a sua esperança. Essa é a razão que ele suplicou para que Deus não acendesse sua ira contra o povo (Ex 32.11-13).

Paulo muitas vezes teve que vencer a atitude avassaladora do desânimo. Ele enfrentou toda razão imaginável para o desespero. Considere as igrejas da Galácia, abraçando a idéia falsa de salvação baseada na circuncisão e no cumprimento da lei.

Pense no relacionamento de Paulo com a igreja de Corinto. A divisão, a imoralidade, a idolatria, a visão distorcida dos dons do Espírito, a incredulidade da realidade da ressurreição, os comentários acusando Paulo de mentira, o desprezo por sua presença física em Corinto (2Co 10.10) e a desobediência. Contudo, o apóstolo lutou contra a repugnante serpente do desânimo. A frase chave, "*ouk engkakoumen*" (2Co 4.1,16) significa "nós não desanimamos" ou "nós não desfalecemos". Ele afirma aos coríntios que: "temos [...] sempre bom ânimo" (5.6), porque ele podia acreditar que todas as tribulações nesta vida são temporárias e de curta duração (4.17), enquanto que a recompensa pela fidelidade tem eterno peso de glória.

Deus escolhera não dar alívio a Paulo de seu espinho na carne, contudo, este não cedeu à depressão, mesmo quando é provável que a tentação ainda continuasse tenazmente em seus passos. Embora completamente inocente da culpa, ele foi forçado a gastar quatro anos em prisões. O desânimo certamente bramiu para ele como um cão bravo ou um "leão rugindo" (1Pe 5.8).

O desânimo e a depressão são as maiores ameaças para qualquer grupo ou igreja que esteja passando por perseguições ou tribulações. Os cristãos judeus, para quem fora escrito a carta aos Hebreus, estavam à beira do retorno ao judaísmo. O autor escreveu: "Não abandoneis, portanto, a vossa confiança; ela tem grande galardão" (Hb 10.35).

Pedro escreveu para os cristãos perseguidos da Ásia menor com palavras animadoras: "Amados, não estranheis o fogo ardente que surge no meio de vós, destinado a provar-vos, como se alguma coisa extraordinária vos estivesse acontecendo; pelo contrário, alegrai-vos na medida em que sois co-participantes dos sofrimentos de Cristo, para que também, na revelação de sua glória, vos alegreis exultando" (1Pe 4.12-13). Quando enfrentamos circunstâncias que criam desânimo, a Bíblia nos dirige para o nosso Senhor que sofreu infinitamente mais do que qualquer um de nós. Isso também ergue nossas cabeças para contemplar o futuro glorioso dos filhos de Deus (Rm 8.17).

Estagnação

Howard Hendricks, professor do Seminário de Dallas, escreveu sobre seus primeiros dias como um aluno em uma faculdade cristã. Indo trabalhar às 5h30, ele passava em frente da casa de um professor. A luz acesa do seu escritório significava que ele estaria estudando. Quando ele retornava da biblioteca às 22h30, lá estava a mesma luz acesa brilhando. Aquele professor estava sempre estudando atentamente seus livros. Um dia, Hendricks convidou-o para um lanche. Ele interrogou o professor: "O que o mantêm estudando; parece-me que você nunca pára"? "Filho", ele replicou, "eu prefiro ter meus alunos bebendo de uma corrente de água em vez de uma piscina estagnada".[36]

---

[36]Howard Hendricks, *Teaching to Change Lives*, Portland, Or.: Multnomah, 1987, p. 28.

Como pode um líder, que está tão certo de seu conhecimento e experiência que não lê livros ou freqüenta palestras, escapar à estagnação? Um líder precisa manter renovado o seu vigor nas Escrituras, no seu caminhar com o Senhor e na sua área de perícia. Do contrário, ele perderá a credibilidade com os seguidores que também tenham acesso à fontes boas de informação. Quando um membro jovem de uma igreja em São Paulo reclamou que ele não estava sendo "alimentado" pelo seu pastor, eu sabia a razão. Aquele líder não estava estudando atentamente sua Bíblia ou seus livros. Ele não estava com sede do conhecimento e de habilidades que modificariam outras pessoas. Sua influência, em vez de crescer constantemente, diminuiu.

Inveja

Este mal muitas vezes surge em organizações onde a honra e os privilégios do líder são proporcionalmente maiores do que as exigências de suas tarefas. Pode até parecer para alguns seguidores que a recompensa da liderança é mais vantajosa do que o preço que seu líder está pagando. A cobiça será a conseqüência natural. É completamente possível que alguém venha pensar que ele poderia fazer melhor aquele serviço. Assim, a inveja poderá manifestar suas garras dentro da organização.

Tiago e João, discípulos líderes na embrionária Igreja de Jesus, solicitaram as posições mais elevadas no reino para quando Jesus entrasse em sua glória (Mc 10.37). Jesus os informou que eles não sabiam o que estavam pedindo. O custo seria participar no batismo de Jesus, e o beber do cálice, que Jesus beberia. Mesmo assim, eles não poderiam garantir o privilégio de sentar-se à direita ou à esquerda do Rei. A reação natural dos outros discípulos por causa do pedido dos filhos de Zebedeu foi a inveja indignada. O erro inicial que Tiago e João cometeram ao pedir pelas posições mais elevadas de honra no Reino levantou a seguinte questão: "Porque eles deveriam receber mais glória e poder do que as outras pessoas"?

Uma conferência missionária há alguns anos, em Curitiba, reuniu vários obreiros de diversas localidades do Paraná. Uma das perguntas que eles precisavam comentar era: "Qual é o pecado que você está mais propenso a cair"? A maioria escolheu a cobiça e a inveja como a tentação mais sedutora que eles tinham que enfrentar.

A cobiça tem um efeito nocivo na comunidade porque aqueles que são afetados por ela não podem fazer outra coisa, senão, expressar seus sentimentos e arruinar a autoridade do líder. As pessoas invejosas são críticas. Quem sabe, talvez, o líder caia, e eles poderão tomar o seu lugar? A queda de Satanás foi ocasionada pela cobiça. Os cristãos são encorajados a por de lado toda a cobiça (1Pe 2.1). Isso, porém, não significa que não será um problema. Podemos somente admirar o exemplo de Barnabé por seu espírito humilde quando Paulo assumiu a liderança na primeira viagem missionária. Evidentemente, este homen magnífico conquistou a inveja.

Trate da cobiça ajudando os seus seguidores a entender que ela tem suas raízes na carne. Tal tentação destruidora necessita ser conquistada de forma efetiva caso a organização esteja disposta a alcançar as suas metas e a cumprir a sua missão. Os seguidores lembrarão que nenhum líder é perfeito, nem livre de erros. Tiago diz que "a língua é fogo; é mundo de iniqüidade [...] é posta ela mesma em chamas pelo inferno" (3.6). Esse deve ser o alerta necessário para evitar "que se ponha fogo na organização" devido às fofocas e aos comentários depreciativos.

Soberba

A liderança, infelizmente, é suscetível à soberba; um impedimento que é muito mais sério do que a maioria das pessoas pensam. Ela é muitas vezes fatal. Um líder soberbo raramente ouve a voz do grupo que lidera, pois é auto confiante. Ele pensa que sabe, acima de todos, como dirigir o grupo. A soberba faz com que seja impossível de uma verdadeira dependência de Deus e o ouvir sua voz. Sem a direção divina, um líder soberbo será impetuoso e tomará decisões sem a reflexão necessária ou a troca de idéias.

Há boas razões para a Bíblia declarar que a soberba vem antes da queda. Uma vez que a liderança inclui a exaltação e a decisão, a atitude de coronelismo acaba acontecendo naturalmente. Os procedimentos democráticos não se encaixam bem com homens soberbos que os apoiam com a boca, mas preferem dirigir unilateralmente. Eles não reivindicam o título de "rei", mas a auto-estima deles incorpora uma atitude de "soberania".

Os líderes soberbos aprendem pouco com os seus erros. Muito obsessivos com a necessidade de defender as suas decisões, por pior que sejam as conseqüências, eles aproveitam pouquíssimo das experiências negativas. Não tendo ouvidos abertos para os conselhos, eles marcham adiante, esperando que irão provar que são os melhores. Eles seguem os passos do apostador obsessivo que mantém a sua confiança de que vencerá na próxima vez, embora ele tenha perdido fortunas inteiras.

Jamais poderíamos negar que Pedro foi um líder. Porém, qual a razão de sua impetuosidade? Talvez seja possível detectar alguns traços de soberba que o empurraram a falar, antes mesmo que ele pudesse ter pensado o que deveria ter falado. Ele corretamente confessou que Jesus era o Cristo, o Filho do Deus vivo, mas, logo em seguida, foi advertido pelo Senhor devido ao seu pecado (Mt 16.16). Na sua confissão, ele repetiu as palavras que Deus, o Pai, tinha-lhe revelado. Mais tarde foi repreendido, pois permitira que idéias satânicas se infiltrassem em sua mente e soberbamente dependera de interesses humanos, em vez de interesses divinos (vv.17,23).

Pedro superou a sua soberba, mas não sem a ajuda de Deus. Quando ele sugeriu o levantar de três tendas no monte da Transfiguração, Deus o repreendeu. Quando pisou fora do barco na tempestade no mar da Galiléia, começou a afundar, até que o Senhor estendeu-lhe a mão. Confiante, declarara sua lealdade, mas, três vezes negando a Jesus com pragas, ajudaram-no imensamente a reconhecer sua fraqueza e a depender mais seriamente do Senhor (note as frases: "Tu sabes todas as coisas, tu sabes que eu te amo" (Jo 21.17). Pedro, em sua idade avançada, escreveu: "Humilhai-vos, portanto, sob a poderosa mão de Deus, para que ele, em tempo oportuno, vos exalte" (1Pe 5.6). A tradição informa-nos que Pedro morreu crucificado em Roma. Em sua humildade, ele rejeitou ser crucificado como o seu Senhor tinha sido, então, ele pediu o direito de morrer na cruz de cabeça para baixo.

Deus se opõe aos líderes soberbos (Tg 4.6).Ele dá graça e assiste aos humildes. Portanto, o caminho mais efetivo para aprender a humildade para a liderança é dar as boas-vindas à humilhação e à repreensão. O Senhor convidou os seus seguidores para aprenderem a humildade na sua companhia (Mt 11.28,29). Charles Simeon, um homem que Deus usara tão efetivamente para evangelizar alunos em Cambridge e encorajar o início do movimento missionário inglês no começo do século XIX, criou raízes na humilhação para produzir os frutos suculentos da humildade.

Falsidade

O líder que mente, que exagera ou que esconde a verdade não tem direito algum de controlar a vida de outros. O homem que mantém-se fiel à verdade em todas as circunstâncias faz com que seja fácil para alguém confiar nele. Em todos os relacionamentos humanos, a mentira, a decepção, as promessas falsas e os contratos não cumpridos, promovem, todos, à desconfiança. E a desconfiança, no topo da organização, é como uma rachadura em uma parede ou uma fenda em uma represa. Uma rachadura simboliza o perigo que pode levar ao desmoronamento da casa. A água vazando através do açude significa que a enchente logo inundará o vale. Poderia uma esposa confiar totalmente em um marido que a tenha traído? Poderia um marido compartilhar tudo com uma esposa que tenha sido pega em adultério? Os votos do casamento são os mais solenes de todas as promessas. Qualquer um que quebrar essa seríssima promessa dá o direito da dúvida em relação à sua veracidade. Por isso, o relacionamento do líder com os obreiros ou membros é muitas vezes um processo de confiança a longo prazo. A falsidade e a hipocrisia despedaçam os alicerces de um relacionamento de confiança duradouro.

Davi pode nos ensinar muito a respeito da falsidade. Ele experimentou os resíduos amargos do seu pecado de adultério com Bate-Seba. Primeiramente, ele agiu com falsidade, tentando fazer com que todos pensassem que a gravidez de Bate-Seba era fruto do seu relacionamento legítimo com seu marido. Quando Urias recusou deitar-se com sua esposa (2Sm 11.13), Davi procurou cobrir sua transgressão, planejando a morte de Urias pela ação do inimigo (2Sm 11.15). A liderança de Davi sobre sua família tinha sido comprometida.

O filho de Davi, Amnom, mais tarde, violentou sua meia irmã, Tamar, um ato que culminara em uma tentativa de manter tudo em segredo. Absalão, então, secretamente planejou vingar-se da morte de sua irmã, matando Amnom. A hipocrisia e a ignorância governou os relacionamentos familiares de Davi. Logo em seguida, Absalão viria secretamente ganhar o coração do povo para apoderar-se do trono de seu pai. Ele tinha aprendido, pela observação e pela imitação, o lado negativo da liderança de Davi. Esse lado que pode até vencer pequenas vitórias pela pretensão e pela hipocrisia, mas que certamente perderá as grandes guerras. Absalão, mesmo, fora assassinado por Joabe, contra a vontade expressa de Davi, que chorou amargamente a sua morte. E esses são os resíduos amargos da falsidade.

Os líderes fazem contratos com os seus seguidores. As concordâncias podem ser verbais ou escritas. Elas talvez sejam expectativas não expressas mantidas no fundo do coração dos líderes e dos seguidores. Porém, quando a promessa não é mantida, a fé é partida. A confiança só poderá ser restaurada com grande esforço e paciência. Quando as expectativas acabam em decepção, um líder só poderá avivá-las pagando um alto preço.

Conclusão

Esses sete pecados contra a liderança piedosa servirão apenas de amostra das formas variadas que um líder poderá fracassar. Para outros exemplos de erros que prejudicam a liderança, recomendamos o livro de Hans Finzel, *Dez Erros Um Líder Não Pode Cometer* (São Paulo: Ed. Vida Nova, 1998).

Capítulo 7

Equilíbrio na Liderança de Estilo

*U*m líder precisa de equilíbrio para produzir influência positiva em seu grupo. Examine o fracasso de uma liderança e há grande possibilidade de se constatar que o extremismo fatal de um líder tenha trazido a organização para baixo. A navegação tranqüila na corrente da vida é tão importante para um líder quanto para um barco navegando no rio Amazonas. Em uma manhã de 1953, o S. S. North American estava navegando o rio Sioux Saint Marie, que divide as fronteiras do Canada e dos Estados Unidos. O barco desviou-se do centro. As marcas do canal claramente mostravam onde o centro do rio estava, mas o timoneiro ignorou as bóias. Em poucos minutos, o barco de 2.000 toneladas emperrou-se na lama. Eu estava naquele barco. Embora não entendesse de navegação, pude prever corretamente o que aconteceria quando o navio desviou-se do canal marcado no meio do rio.

O que acontece no mundo da navegação aplica-se à liderança. Um líder que não evita extremos, quase que certamente, tropeçará, e fracassará. Há dezenas de possíveis extremos que ameaçam a liderança. McDermott escreveu que a vida do santo "[...] não tem o tremendo desequilíbrio que em geral caracteriza a espiritualidade falsa".[37] O equilíbrio cristão deve unir

---

[37]Gerald R. McDermott, *O Deus Visível*, São Paulo: Edições Vida Nova, 1998, p. 195.

a alegria pela salvação, a tristeza pelos pecados, o amor por Deus e pelos outros, o amor pelo próximo e pela família, o amor pelo corpo e alma, a preocupação pelos pecados próprios juntamente com a que se tem pelos pecados dos outros e, finalmente, o culto público e o pessoal.[38]

Os exemplos que seguem foram escolhidos para destacar os perigos que ameaçam a vida desequilibrada de um líder. Algumas ilustrações bíblicas nos ajudarão lembrar as conseqüências benéficas do equilíbrio e os perigos de desviar-se do centro.

Observe a Linha Divisória entre a Determinação e a Teimosia

A rigidez em um líder não é benéfica, tanto quanto uma montanha não é benéfica para um grupo de construção de estrada, ou uma parede de granito para uma furadeira. Ninguém poderia ter acusado William Carey de ter sido desorientado ou sem determinação. Ele usou-se do seguinte lema: "Espere coisas grandes de Deus; e aspire fazer coisas grandes para Deus". Essa determinação, diante de constantes dificuldades e oposições, é aquilo que compõe o verdadeiro líder, e não a teimosia.

O rei Roboão, por outro lado, caiu no erro da teimosia recusando-se aliviar o jugo pesado do povo. Por isso, ele perdeu a maior parte do seu reino (1Rs 12). A divisão do reino provocou a tragédia de guerras futuras que enfraqueceram ambos os reinos. Acima de tudo ela desviou o reino do norte da adoração a Deus, em Jerusalém, sob a liderança de reis que, antes, andavam no caminho do Senhor. Um líder sábio anda na linha que separa a determinação da teimosia; uma linha crucial para uma liderança bem-sucedida.

---

[38]Gerald R. McDermott, ibid., pp. 195-203.

Escolha o Meio Termo entre
a Flexibilidade e a Indecisão

A adaptabilidade a face de mudanças rápidas é a marca niveladora da liderança de qualidade. O profeta Jeremias teve que se adaptar às mudanças radicais que ocorreram durante a sua vida. Por quarenta anos, ele profetizou sob o reinado de um bom rei, como Josias, e péssimos reis, como Jeoaquim, Joaquim e Zedequias. Jeremias se opôs à política desses reis, que, por sua vez, perseguiram o profeta. Durante todas as calamidades da má liderança no trono, em liberdade e cativeiro, esse homem de Deus vivera sob a direção de Deus, e profetizara sua Palavra (23.28-32). A flexibilidade tornou-se a característica necessária de sua vida, mas sem ter abandonado seus princípios.

Em contraste, considere Balaão, o adivinho. Ele disse que só poderia falar aquilo que o Senhor o permitisse, todavia, tempos depois o encontramos montado em seu jumento, na esperança de amaldiçoar a Israel e de receber uma recompensa valiosa. Passados alguns dias, ele encontra-se com o Senhor como o seu adversário, e não como fonte de bênçãos (Nm 22.32). Balaão ganhou a reputação daquele que induziu Israel a pecar, embora de sua boca, ele tenha pronunciado uma bênção sobre o povo escolhido (Nm 23,24). Tiago questionou se seria possível de uma "única fonte jorrar tanto o que é doce como o que é amargoso" (Tg 3.11). A inconsistência em um líder, como uma parede construída de lama e de pedra, não poderá durar por muito tempo ou beneficiar uma organização.

Seja Firme em vez de Prepotente

Davi demonstrou equilíbrio navegando no centro entre o poder de limitação própria e o despotismo. "Um homem de verdade como Davi é raro de ser encontrado na Igreja. Ele intimidaria demais as pessoas. Davi tinha sido um homem severo que podia sobreviver sozinho em uma região rústica de Judá. Fora forte o suficiente para matar um leão, e valente o bastante para confrontar e derrubar Golias".[39] Por diversas vezes podemos ver esse homem escolhendo o curso médio, evitando o abuso do poder para a gratificação pessoal. É necessário ser um homem valente para confessar o pecado do adultério e do assassinato. Não foi um ditador prepotente que escreveu: "Cria em mim, ó Deus, um coração puro e renova dentro de mim um espírito inabalável" (Sl 51.10). O homem de estado, Davi, viveu na prática o equilíbrio raro entre a força própria e a confiança no Senhor. Ele nunca agiu como um déspota. Imagine Alexandre, o Grande, ou Napoleão, despejando a água que os valentes de Davi lhe trouxeram do poço de Belém. Foi o seu temor piedoso do Senhor que fez toda a diferença. Ouça suas palavras: "Longe de mim, ó SENHOR, fazer tal coisa; beberia eu o sangue dos homens que lá foram com perigo de sua vida"? (2Sm 23.17).

Perdoe o Pecado sem Desculpá-lo

Jesus ensinou a surpreendente exigência de se perdoar pecados setenta vezes sete (Mt 18.22). Ele disse aos acusadores da mulher adúltera, que consideravam-se justos, que eles tinham sua permissão para apedrejá-la caso não tivessem nenhum pecado. Ele deixou-a partir sem acusações com a seguinte palavra: "Ninguém te condenou? [...] Nem eu tampouco te condeno; vai e não peques mais"(Jo 8.10,11).

Porém, foi Jesus que também chamou os líderes espirituais de seus dias: "Serpentes, raça de víboras! Como escapareis da condenação do inferno"? (Mt 23.33). É evidente que nosso Senhor escolheu o curso médio entre condenar os hipócritas e perdoar os arrependidos.

---

[39]Paul Jorden, *A Man's Man Called by God*, Wheaton: Jordan Books, 1980, p. 8.

Paulo exortou os efésios a perdoarem-se uns aos outros, "como também Deus, em Cristo, vos perdoou" (Ef 4.32). Porém, ele também mandou os coríntios entregarem o escandaloso pecador a Satanás para a destruição da carne (1Co 5.5). Esses casos, e muitos outros na Escritura, encorajam o perdão e a disciplina. Ambas as atitudes, mantidas em tensão, são essenciais para o bem-estar da Igreja e o sucesso da organização.

Seja Humilde em vez de Bajulador ou Tímido

Samuel demonstrou o equilíbrio entre esses dois horizontes. Desde sua infância sob a tutela de Eli até a sua morte, esse servo do Senhor apresentou força com humildade. A má notícia que o Senhor lhe dera para passar a Eli foi entregue de forma relutante, mas fielmente. "Então, Samuel lhe referiu tudo e nada lhe encobriu. E disse Eli: É o SENHOR; faça o que bem lhe aprouver. Crescia Samuel, e o SENHOR era com ele, e nenhuma de todas as suas palavras deixou cair em terra" (1Sm 3.18,19).

Timóteo, com sua tendência natural à timidez e à insegurança emocional, precisou se lembrar de que Deus não nos tem dado um espírito de covardia, mas de poder, de amor e moderação (2Tm 1.7). Ele deveria fortificar-se na graça que está em Cristo Jesus (2.1). Não deveria permitir que as pessoas lhe intimidassem ou desprezassem pela sua mocidade (1Tm 4.12). Ninguém poderia deixar de notar a humildade de Timóteo, expressa de forma tão maravilhosa por Paulo: "Porque a ninguém tenho de igual sentimento que, sinceramente, cuide dos vossos interesses; pois todos eles buscam o que é seu próprio, não o que é de Cristo Jesus. E conheceis o seu caráter provado, pois serviu ao evangelho, junto comigo, como filho ao pai" (Fp 2.20-22). Apesar do acanhamento natural de Timóteo, Paulo lhe escolhera para confrontar os coríntios antes mesmo de Paulo encontrar-se com eles (1Co 4.17).

Seja Decisivo em vez de Independente

Um líder piedoso precisa manter-se firme à sua visão, lançando fora todas as ações e os desvios estranhos ou prejudiciais. Os objetivos de uma organização são centrais. Elias se sobressai como o exemplo bíblico de decisão. Se Deus lhe falasse para viver ao longo da torrente de Queribe que lentamente secava e que dependesse de corvos para alimentar-se, isso era o que Elias faria. Não houve hesitação, reclamação ou dúvidas. Se alguém precisava desafiar todos os profetas de Baal e a rainha pagã Jezabel, Elias era o homem qualificado para isso. Será que existiu outro homem de decisão como Elias?

Foi o mesmo homem, Elias, que ouviu o cicio tranqüilo e suave (1Rs 19.12) que lhe deu diretrizes para a continuação de seu ministério em Israel. Os líderes qualificados necessitam do discernimento para saber quando a decisão é necessária e quando as boas sugestões devem ser adotadas. O tempo excessivo desperdiçado em comissões e infinitos encontros podem paralisar uma organização. As decisões sem ouvir as opiniões contrárias pode afundar todo o propósito de existência do grupo. A independência de ação pode cortar um pastor de sua base de suporte, deixando-o como uma árvore em uma barragem depois do rio ter lavado o solo de suas raízes.

Promova Seguidores Leais em vez de Homens de "Sim"

A lealdade de Daniel ao rei o colocou na posição da pessoa favorita do monarca. Dário, o medo, podia contar com Daniel para conselhos e apoio. Porém, quando o rei assinara o decreto que tinha como intuito cessar suas orações diárias, Daniel não demonstrou hesitação alguma em desobedecer a ordem que poderia ter-lhe custado a própria vida. O andar íntimo de

Daniel com Deus fez com que a sua liderança fosse equilibrada. Alguns líderes podem facilmente cair na armadilha de acreditar que um seguidor que fala a verdade é desleal. Muito melhor do que cercar-se com homens que somente falam para seus líderes o que eles querem ouvir é o rei ou o pastor que tem conselheiros leais que lhe dizem a verdade.

É importante discernir a diferença entre poder e autoridade. O poder é a habilidade de forçar outras pessoas a fazer a sua vontade, mesmo que eles não queiram fazê-la. Autoridade, por outro lado, é a habilidade de se agrupar pessoas para fazer aquilo que você quer porque estas reconhecem que isso é o certo. Pilatos tinha o poder, mas Jesus tinha a autoridade (cf. Mt 28.18).

Seja Manso em vez de Fatalista

Jesus chamou seguidores para aprenderem dele a mansidão (Mt 11.28,29). Sua mansidão na presença de seus atormentadores dá um exemplo que o mundo inteiro deve imitar. Contudo, o nosso Senhor não era um fatalista. Ele foi completamente manso na presença do mal que o cercava, mas aquilo nunca o fez apático. Ele foi emocionalmente e espiritualmente comprometido com o Reino do Pai, para que ele não pudesse aceitar o mal em sua volta como algo inevitável. Fé não é a mesma coisa que resignação. Kierkegaard foi claro nisso. Uma vez que perdemos a fé, resignação é tudo que resta. Através da fé, a mansidão pode suportar longos anos de aprisionamento com esperança e expectativa.

Jesus orou por Pedro antes que este o negasse três vezes. Ele encorajou Pedro a fortalecer seus irmãos uma vez que tivera seu majestoso retorno (conversão). Não houve fatalismo em seu tratamento para com esse discípulo.

O tratamento de Jesus para com Judas demonstra o equilíbrio notável entre mansidão excessiva e a apatia. Jesus não sentiu necessidade de informar aos outros discípulos do defeito fatal de Judas. Evidentemente, os colegas não suspeitaram que Judas era um ladrão. Parece que até próximo do fim, Jesus tratara o seguidor desleal como alguém igual a qualquer outro. Ninguém poderia ter imaginado que Judas estava além de qualquer esperança. Contudo, Jesus sabia que Judas o trairia, então, ele finalmente revela o fato (Mt 26.20-25).

Procure o Curso Médio entre a Mesquinhez e o Desperdício

Abraão reconheceu a voz de Deus quando este mandou que levasse seu único filho, Isaque, e o sacrificasse no monte Moriá. O seu amor e o seu compromisso com o Senhor foi tamanho que ele não hesitou em cumprir aquela missão impossível. Abraão bem sabia que não podia agarrar-se a seu filho. As crianças são apenas emprestadas aos pais. Seu almejo de obedecer a Deus estava temperado com a certeza de que Deus era suficientemente "poderoso até para ressuscitá-lo dentre os mortos, de onde também, figuradamente, o recobrou" (Hb 11.19). Abraão recusou a alimentar-se de pensamentos de que o sacrifício de Isaque poderia tornar-se em tal desperdício de partir o coração. Ele tampouco segurou-se a Isaque com uma possessão pecaminosa. Assim, Abraão antecipou o presente de Deus à humanidade na pessoa de seu Filho, Jesus (Rm 8.32).

Jefté, por outro lado, ofereceu como sacrifício sua filha como um tipo de pagamento a Deus pela vitória que ele esperava que Deus lhe daria. Seu voto (Jz 11.30,31) foi planejado para pressionar Deus a fazer aquilo que ele queria. Porém, não há qualquer indício de que Deus deseja sacrifícios humanos. O seu sacrifício foi um desperdício lamentável. O compromisso sacrificador ao Senhor é uma norma bíblica. "Se alguém quer vir após mim, a si mesmo se negue, tome a sua cruz e siga-me" (Mc 8.34). Mas o suicídio, o homicídio ou algum outro exemplo de oferta desperdiçada, não agradam a Deus.

Muitas organizações têm deixado de existir devido ao fracasso de encontrar o curso médio entre a mesquinhez e o desperdício. Especialmente comuns, são aqueles casos onde o dinheiro é despejado em um projeto digno sem um cuidadoso controle de orçamento que poderia evitar a vergonha de contas não pagas e de uma montanha de dívidas. Por outro lado, muita preocupação com assuntos financeiros pode indicar falta de fé. Se o progresso de uma organização pode ser feito através de investimentos em pessoas e dinheiro, eles devem ser feitos com muita oração e um planejamento cuidadoso.

Mantenha o Equilíbrio entre o Amor e a Verdade

Os líderes piedosos lembram que a verdade é tão importante quanto o amor. Se a verdade é reprimida pelo interesse de proteger uma ação pecaminosa, o amor será sacrificado junto com a verdade. A confrontação é um atributo necessário da verdade. Jesus é a verdade. Ele não tolera a hipocrisia. Ele é o herói daqueles que reconhecem o valor da confrontação e de se falar a verdade em amor.

Jesus, como a Verdade Viva de Deus, foi também o exemplo máximo de amor. Ele ofereceu o melhor exemplo de curso médio entre o amor e a verdade. O que se pode ganhar em confrontar o jovem rico sem amor (Mc 10.21)? Acompanhada de amor, a verdade pode conseguir uma resposta positiva mais tarde. O jovem rico pode ter se tornado um seguidor do Senhor após sua morte e ressurreição.

O amor sem a verdade pode destruir o futuro de uma criança. Pais, que continuamente, encorajam suas crianças falando como elas são comportadas e inteligentes, mas fracassam em impressioná-las com a gravidade de seus fracassos e a falta de disciplina, não são os candidatos a ter filhos obedientes e bem comportados. O mesmo se aplica ao líder que esconde a verdade apenas elogiando os membros de sua igreja ou sua organização. Os pais piedosos fazem a combinação do amor com a verdade.

Mantenha a Visão sem Ser Visionário

O equilíbrio entre a visão e a praticabilidade não deve ser perdida. Um líder que tem grandes sonhos, mas não tem seus pés no chão, tem pouco valor para a Igreja hoje. Que benefício há em se desenhar uma igreja imensa, ou um orfanato, ou um projeto de evangelização da cidade de São Paulo, mas não ter alvos mensuráveis para tornar a visão em realidade? A pessoa visionária tem boas idéias, mas carece os meios de realizá-las no tempo e no espaço.

Jesus viu 5000 homens com fome, sem contar as mulheres e as crianças. Quando ele disse a seus discípulos para dar-lhes comida, eles ficaram perdidos, pois não sabiam o que fazer. André, porém, trouxe um menino a Jesus, e mostrou-lhe que, pelo menos, ali tinha um pequeno começo. Jesus completou a visão multiplicando o pequenino lanche em uma festa.

Jesus vislumbrava uma igreja que pudesse conquistar nações. Na realidade, isso foi um sonho, mas não um sonho sem planos práticos para agir. Ele escolheu doze e depois setenta discípulos para treinar. Mais tarde, ele comissionou-os para cumprir aquela visão. Os resultados hoje são visíveis em todo lugar.

Seja Corajoso em vez de Negligente

Gideão demonstra-nos o curso médio entre precaução e negligência. Pelos conhecidos testes com o orvalho (Jz 6.36-40), Gideão procurou a certeza de Deus de que seu poder zeloso traria vitória sobre os midianitas. Gideão, todavia, não foi tão cauteloso ao ponto de não poder agir, mesmo com o pequeno exército de 300 homens que Deus lhe arrumara para enfrentar a batalha.

A liderança de excelência não comprometerá os homens e os recursos em projetos que não tenham alguma garantia de sucesso. Jesus alertou contra o crente zeloso que decide segui-lo sem primeiro calcular o custo (Lc 14.28-33). Tal imprudência reveste o nome de Cristo de trapos nada atraentes. Também cobre com vergonha o candidato negligente do Reino de Deus. É bem melhor ser cauteloso e considerar o preço antes de mergulhar nas profundezas para nadar contra a corrente. É bem melhor pular no barco salva-vidas do que permanecer no Titanic que se afunda.

Capítulo 8

ATITUDES QUE FAZEM A LIDERANÇA BÍBLICA BEM-SUCEDIDA

*D*eus pode usar diversos tipos de personalidades para liderar outras pessoas. As páginas da história estão repletas de déspotas, governadores misericordiosos, desbravadores e conquistadores. As companhias multinacionais pagam aos seus presidentes e executivos somas mirabolantes. É muito importante para nós considerarmos quais atitudes habituais produzem uma liderança piedosa. Algumas perspectivas bíblicas se sobressaem.

Gratidão

William Law, o famoso escritor do século XVIII, perguntou: "Você saberia qual é o maior santo no mundo? Não é aquele que ora mais ou jejua mais. Não é aquele que dá a maior soma de dinheiro [...] mas é aquele que é sempre grato a Deus, aquele que deseja tudo que Deus deseja, e aquele que recebe tudo como um exemplo da bondade de Deus e tem um coração sempre pronto para louvá-lo por ela".[40]

A gratidão tem um lugar chave nas cartas de Paulo. Um coração grato cumpre perfeitamente o desejo de Deus para os seus filhos. Veja esta exortação: "Em tudo, dai graças, porque esta é a vontade de Deus em

---

[40]Citado por Gary Thomas, *"Giving Thanks"*, Moody Monthly, Vol. 97 # 2, Nov.Dec. 1996, p. 59.

Cristo Jesus para convosco" (1Ts 5.18). Esse é apenas um entre muitos dos textos que indicam a importância de uma atitude grata. Para um líder segundo o coração de Deus, ela é essencial.

O dom (*charisma*, formado por *charis*, "graça" e *ma*, "efeito") de liderança é dado por Deus (Rm 12.8, NVI). A palavra "gratidão" é formada da mesma radical, "graça" no latim. Como um dom da graça, esse carisma deve produzir uma reação de gratidão no coração de um líder, que, então, encoraja a mesma atitude nos seus seguidores. A gratidão deve ser a emoção que inunda o coração daquele que Deus tem selecionado para influenciar outros e mostrar-lhes o caminho para uma vida frutífera a Deus.

Paralelamente à gratidão encontra-se a injunção bíblica para "alegrar-se sempre no Senhor" (Fp 4.4). Assim como o corpo humano precisa de um coração batendo, a gratidão necessita da alegria. É impossível sentir a gratidão se o coração de uma pessoa está pesado e triste. Porém, quando uma pessoa vê claramente a bondade de Deus operando providencialmente em todas as circunstâncias para trazer glória a si mesmo, a gratidão se torna algo natural.

Através dos Salmos podem ser vistas múltiplas expressões da gratidão de Davi, o líder amado de Israel. Através de suas músicas e poesias, o rei procurou lembrar à nação que o louvor e a gratidão são respostas que cada um deve oferecer a Deus por toda a sua bondade e por suas obras magníficas.

Humildade

Os líderes cristãos não estão imunes à tentação de misturar a fama pessoal e a ambição com o desejo de fazer a diferença no mundo. "Søren Kierkegaard descreve um homem, ou mulher, segundo o próprio coração de Deus como alguém que é 'selecionado cedo e lentamente educado para a obra'. Moisés foi o instrumento escolhido por Deus para livrar o povo de Israel, mas ele aprendera humildade antes de Deus fazer dele um grande líder. Quarenta anos de experiência no deserto o prepararam para liderar".[41]

Onde há falta de humildade será encontrado um espírito crítico. "Não julgueis, para que não sejais julgados" (Mt 7.1), disse o maior líder de todos os tempos. Muitos líderes são sarcasticamente críticos. "A crítica é a parte da faculdade ordinária do homem; mas, no âmbito espiritual, nada é realizado pela crítica. O efeito da crítica é a divisão dos poderes daquele que é criticado; o Espírito Santo é o único na posição verdadeira de criticar; ele sozinho é capaz de mostrar o que está errado sem machucar ou ferir".[42]

Um espírito humilde fomenta a unidade, pois evita a crítica e concentra-se no encorajamento. Sem a unidade, uma organização comete erros e desperdiça tempo e recursos com brigas internas.

Uma Disposição para Aprender

Os pastores-mestres, e líderes em geral, não somente precisam ser aptos para ensinar e mostrar o caminho, mas também precisam ser aptos para aprender. Qualquer líder que pensa ter aprendido tudo o que ele precisa saber, no seminário ou na faculdade, é como uma ostra com a cabeça enterrada na areia. Neste mundo em que tudo muda rapidamente, o aprendizado contínuo pode ser a chave para a liderança bem-sucedida. Charlie Jones enfatizou o seguinte: "Nunca diga 'eu aprendi', mas 'eu estou aprendendo'; pois qualquer que seja o fato que o líder tenha aprendido no passado, ele precisa ser melhorado e aperfeiçoado. Deixando de lado os livros que tenha lido e as pessoas que tenha encontrado, um líder será a mesma pessoa que era quando começou sua carreira.

---

[41]P. Borthwick, op., citado p. 161.
[42]Oswald Chambers, *My Utmost for His Hightest*, New York: Dodd and Mead, 1935, Reading for June 17, p. 169.

Interesse no Reino

Um líder cristão, mais do que ninguém, deve entender como a sua visão e os seus objetivos satisfazem os interesses de Deus. Se os alvos de uma organização são orientados para os valores do mundo, um homem de Deus precisará mudá-los. Jesus disse a todos para procurar o Reino de Deus, pois, na verdade, isto significa que as questões eternas são o critério final para avaliar o sucesso.

"Portanto, se fostes ressuscitados juntamente com Cristo, buscai as coisas lá do alto, onde Cristo vive, assentado à direita de Deus" (Cl 3.1). A morte e a ressurreição com Cristo, dramaticamente retratadas no batismo, significam que todo o propósito de vida de uma pessoa necessita ser dirigido por alvos celestiais. Não pode ser mais a quantidade de dinheiro que alguém ganha que conta, mas a quantidade de dinheiro que será colocada nas mãos de Deus para promover e manter o seu Reino. Jesus demonstrou essa realidade através da parábola do administrador infiel (Lc 16.1-13). O significado da parábola pode facilmente ser encontrado na própria explicação de Jesus: o trabalho secular e o dinheiro podem ser transformados em valores do Reino quando são usados para o benefício daqueles que deles necessitam. Não é o tamanho de uma igreja que importa, mas a dedicação de seus membros em cumprirem a Grande Comissão (Mt 28.19) e viverem o fruto do Espírito (Gl 5.22).

Da perspectiva de Deus no mundo, isto é, as atividades seculares que não têm nada a ver com o Reino de Deus, muito do que é realizado é mero desperdício de tempo e de esforço. "Vede prudentemente como andais, não como néscios, e sim como sábios, remindo o tempo, porque os dias são maus" (Ef 5.15,16). O não escolher dos alvos do Reino é estupidez, insensatez e má direção. Ser sábio significa fazer tudo para a glória de Deus, quer bebendo ou comendo, quer trabalhando ou brincando (1Co 10.31).

Todos os cristãos são chamados para servir a Deus em tempo integral. A diferença entre um líder religioso, tal como um pastor e um membro da igreja, e um empresário, não é que o "obreiro" serve Deus e o "leigo" a uma empresa secular. Se não há nenhuma ligação entre o trabalho de uma pessoa e o Reino, tal trabalho precisa ser abandonado. Paulo deixou bem claro que o servo cristão no primeiro século não somente servia ao seu mestre pagão, mas, na verdade, estava servindo ao Senhor e seria por ele recompensado (Ef 6.6-8). Na realidade não há nenhuma atividade secular para aqueles que põem o Reino em primeiro lugar e procuram os seus interesses acima de tudo. Tais trabalhadores "seculares" são colaboradores com Deus (1Co 3.9).

Otimismo

Dentre as mais importantes atitudes que um líder cristão pode adquirir encontra-se a habilidade de avaliar tudo o que acontece positivamente. Como um homem de fé, um líder adotará Romanos 8.28 como seu lenitivo. Pode até parecer que tudo que deveria sair errado vai provavelmente acontecer, mas isso não significa que o líder precise ficar desanimado. Deus, certamente, faz todas as coisas cooperarem para o bem daqueles que o amam e que são chamados segundo o seu propósito. Portanto, mesmo as decisões ruins e as pessoas más são forçadas pela onipotência de Deus a contribuir com algum bem para o propósito final de Deus.

Até a crucificação do nosso Senhor, o maior crime já cometido pelas mãos de iníquos, foi transformada por Deus na maior fonte de bênção para a humanidade. Paulo foi impedido de pregar a Palavra na Ásia e em Bitínia (At 16.6,7), mas isso não quis dizer que Deus não era capaz de fazer uma tremenda obra na Europa. Os aprisionamentos de Paulo foram o resultado das decisões tomadas por pessoas más, cheias de inveja e arrogância, mas isso, em hipótese alguma, significava que o sofrimento do apóstolo foi em vão. "[...] peço que não desfaleçais nas minhas tribulações por vós, pois nisso está a vossa glória" (Ef 3.13). É fácil para nós hoje vermos que aqueles aprisionamentos a Paulo ofereceram oportunidades para redigir cartas para cristãos de todas as gerações. Caso o apóstolo Paulo não tivesse sido encarcerado, é possível que Filipenses, Efésios, Colossenses, Filemom e 2 Timóteo não tivessem sido escritas. Com um Deus onipotente e soberano, não deve ser impossível ver algo positivo em tudo o que acontece ao nosso redor.

Oração Perseverante

Um líder que negligencia a oração provavelmente fracassará, enquanto aquele que faz da oração a sua atividade fundamental tem uma boa chance de alcançar o sucesso. Paulo recomendou aos líderes da igreja de Tessalônica "orar sem cessar" (1Ts 5.19). Quando um líder perguntou ao famoso missionário e autor, J. Oswald Sanders, quais eram as melhores palavras de exortação que ele podia compartilhar, ele respondeu sem hesitação: "Vigie a sua vida devocional. Um ministério abençoado pelo Espírito é alicerçado em uma vida devocional sólida".[43] Dr. James Houston do Regent College, em Vancouver, no Canadá afirma audazmente que a oração é a vida do líder. Como o ar que respiramos, a oração é o ambiente que a liderança necessita para descobrir a vontade de Deus e realizar uma visão bíblica.

As decisões banhadas em orações são muito mais prováveis de serem corretas do que aquelas que são baseadas exclusivamente na inteligência humana. "Confia no SENHOR de todo o teu coração e não te estribes no teu próprio entendimento. Reconhece-o em todos os teus caminhos, e ele endireitará as tuas veredas" (Pr 3.5,6). Nate Hubley, antigo presidente da

---

[43] P. Borthwick, op. citado p. 27.

Carter Ink Company, disse-me, muitos anos atrás, que ele podia escolher executivos importantes para gerenciar sua companhia somente depois de orar intensamente pela direção de Deus. Pela oração, ele era capaz de efetivamente estar seguro da assistência de Deus.

Um líder que caiu em sério pecado moral já tinha fracassado antes mesmo que escandalosamente pecasse. Sua vida de oração era um fracasso. Seu pecado era um dos que Samuel prometera não cometer. "Quanto a mim, longe de mim que eu peque contra o SENHOR, deixando de orar por vós [...]" (1Sm 12.23). A oração cria a comunhão (*koinonia*) com Deus e com a sua vontade; o Getsêmani revela esse príncipio na vida e morte de Jesus. Assim, quem ora se unirá, como o próprio Jesus foi unido, com a perfeita e soberana vontade de Deus. Naquela posição maravilhosa, providenciada por Jesus Cristo, nós podemos orar a Deus em seu nome e, com o seu aval, que nos dá a certeza de sermos ouvidos pelo Autor do universo.

O que é mais importante para um pastor do que a comunhão com Deus? E. Stanley Jones missionário na Índia escreveu: "A oração é a entrega à vontade de Deus e a cooperação com aquela vontade. Se eu jogo para fora do barco uma âncora para alcançar a margem, eu puxo a margem para mim ou eu puxo o meu barco para a margem? A oração não está puxando Deus para fazer a minha vontade, mas ela está acomodando a minha vontade a vontade de Deus".[44]

Mantendo a Coisa Principal como a "Coisa Principal"

As lições da história provam que uma das estradas mais duras para os líderes seguirem é o caminho que mantêm o propósito original e

---

[44]*A Song of Ascents*, Nashville: Abingdon, 1968, p. 383, por P. Borthwick, op. citado p. 99.

central da organização nos eixos. O propósito original da Universidade de Harvard era treinar homens piedosos para o ministério do Evangelho. Hoje, ela é uma instituição mais conhecida por sua perspectiva secular do que pela sua propagação das Boas Novas. O primeiro presidente da Universidade Princeton foi Jonathan Edwards, sem dúvida alguma, um dos homens mais piedosos que já andou na face da Terra. A Princeton, hoje, é mais notada pela incredulidade e pelo humanismo do que pela piedade. A coisa principal foi descarrilada há muito tempo.

Pedro afirmou claramente que o propósito do Evangelho é produzir o amor fraternal não fingido (1Pe 1.22). Se uma igreja não é notada pelo seu amor fraternal, a conclusão é óbvia: a coisa principal deixou de ser a coisa principal. O mesmo princípio é válido para qualquer organização fundada e dirigida por um cristão.

Os líderes na igreja de Corinto agiram como se a coisa principal fosse o dom de línguas. Paulo corrigiu a maneira errada deles pensarem escrevendo o capítulo 13 de sua primeira carta. Nem a língua de anjos, nem a língua de homens, nem as profecias, nem o conhecimento dos mistérios, nem a fé e nem o sacrifício da vida são dignos de coisa alguma, sem o amor. Uma organização cristã ou uma igreja que é omissa em ensinar seus membros como amar a Deus acima de todas as coisas, e ao seu próximo como a si mesmo, está perdendo a sua direção. Um líder que não procura consertar tais desvios, erra tristemente na perspectiva de Deus, embora ele possa ter um sucesso grandioso aos olhos dos homens.

Muitas igrejas poderiam, sem hesitação, declarar que sua "coisa principal" é o evangelismo. Essa prioridade não deve estar longe do centro da vontade de Deus, como sugerido por João 3.16. Se Deus amou o mundo o suficiente para dar o seu único Filho para a sua redenção, os grupos e os indivíduos que não fazem do evangelismo a sua prioridade têm desviado da "coisa principal". A Grande Comissão para levar o Evangelho a todas as nações, e fazer discípulos delas, necessita estar perto da coisa principal para o nosso Senhor Jesus. Quando missões são de menor importância do que o caro e o impressionante prédio de uma igreja, quando o ar-condicionado ou o roupa do coral toma o lugar da preocupação pelos necessitados, é difícil escapar da conclusão de que a coisa mais importante tenha sido rebaixada. Quando tais erros são cometidos, na maioria das vezes, os líderes foram os quem falharam.

Conclusão

A decisão de Deus criar o homem a sua imagem e semelhança tinha o objetivo de encher a terra com criaturas inteligentes que pudessem liderar ("tenha domínio, Gn 1.26) debaixo da soberania geral de Deus. A Queda deturpou o propósito de Deus na criação, pois o homem pecador procurou dominar para a sua própria satisfação egoísta. Essa é a única explicação para todos os males encontradas na sociedade humana. A ganância, a hostilidade e o egoísmo que motiva a liderança sem Deus deixam as suas marcas inconfundíveis em todos os grupos imperfeitos, incluindo nas igrejas.

Nós temos procurado demonstrar as atitudes piedosas necessárias para a liderança que Deus pode usar. Se as atitudes pecadoras não fossem prevalecentes, o propósito original da criação do homem seria predominante. A liderança que, de alguma forma, inclui domínio sobre as pessoas, pode ser uma boa coisa quando ela é centralizada em Deus e reflete o seu caráter santo e amoroso. Os problemas na liderança podem, na maioria dos casos, ser explicados pelo fracasso na prática de uma liderança piedosa, ou por seguidores pecadores que rejeitam os valores bíblicos que um líder piedoso tem procurado implementar.

A Bíblia proporciona os melhores exemplos de líderes piedosos para serem imitados. Porém, nenhum exemplo pode se comparar com a liderança de Jesus Cristo, o Filho de Deus. Se os cristãos aceitassem o seu convite para tomarem o seu jugo sobre si mesmos e aprenderem dele (Mt 11.29), a liderança piedosa seria algo normal. Juntamente com a pessoa e o ensinamento do nosso Senhor, as Escrituras nos conduzem para a direção de muitas outras lições valiosas e uma liderança segundo o coração de Deus. O leitor deve estar alerta para aproveitar esses exemplos.

Capítulo 9

As Recompensas da Liderança

No mundo, a liderança ganha prêmios de compensação monetária que refletem a importância da posição do líder dentro da companhia ou da organização. A contribuição que ele dá para os lucros da companhia faz justiça proporcional ao prêmio financeiro. Inclusive, nosso Senhor insistiu no fato de que os prêmios celestiais são muito mais valiosos do que as vantagens terrenas. O pouco retorno sobre o investimento de esforço e de sofrimento de um líder na Terra não significa, de forma alguma, que os prêmios devidos aos obreiros de Deus tenham sido esquecidos ou anulados.

Há prêmios que não podem ser medidos financeiramente ou em benefícios materiais. Uma coisa é biblicamente correta: qualquer coisa feita para Deus não será esquecida. Os incentivos de Deus para os serviços com dedicação devem sempre ficar gravados em nossas mentes. O alvo neste último capítulo é refletir sobre algumas das recompensas que os líderes piedosos podem esperar. Paulo acreditava nesses prêmios, como revela o que ele escreveu: "Portanto, meus amados irmãos, sede firmes, inabaláveis e sempre abundantes na obra do Senhor, sabendo que, no Senhor, o vosso trabalho não é vão" (1Co 15.58).

Realização

Deus tem implantado um desejo no coração do homem para este ser útil, para que faça uma diferença para melhor. Um aspecto da imagem de Deus em nós envolve o alto valor que a realização tem para nós. Enquanto um animal pode desfrutar do brincar e de outros prazeres que ele pode compartilhar com os seres humanos, somente nós, humanos, podemos antecipar e apreciar a realização. Uma vida vazia é uma vida não realizada.

Sentir-se realizado, significa que a realização traz um prêmio interno, um sentimento de satisfação por podermos alcançar o que esperávamos realizar. A vida é vazia quando o trabalho não vai além da rotina; a tarefa poderia ter sido feita até por uma máquina. Porém, quando a criatividade aparece em cena, e o envolvimento pessoal traz uma alegria constante nas vidas de outras pessoas, todos nós nos sentimos realizados. Por essa razão, os líderes têm o alto potencial para regozijar-se com a realização.

Paulo teve mais do que uma porção no prazer de melhorar a vida de outros. Quando ele diz: "[...] uma porta grande e oportuna para o trabalho se me abriu" (1Co 16.9), ele referiu-se a alegria do trabalho para Deus de uma forma que trouxesse sua própria recompensa. Nenhum dinheiro estava envolvido, nenhum conforto especial ou vantagens carnais sobrevieram a ele. Ele simplesmente reconheceu que em Éfeso, o entusiasmo estava alto. Muitos queriam ouvi-lo pregar e ensinar o "Evangelho da graça de Deus" (At 20.24). O sucesso no ministério de Paulo foi além de suas expectativas. Todos os habitantes da Ásia puderam ouvir o Evangelho e ver os milagres extraordinários que foram operados através de suas mãos (At 19.10,11). Um dos prêmios mais cobiçados que qualquer líder pode desfrutar vem com o sentimento de realização que o sucesso traz. Essa deve ser a base da mensagem da seguinte frase: "contanto que complete a minha carreira" (At 20.24). O apóstolo sabia que o partir e o estar com Cristo eram incomparavelmente melhor do que o viver na Terra, ainda assim ele estava disposto a permanecer na Terra para abençoar a vida dos filipenses (Fl 1.23,24). O crescimento e o progresso da igreja de Filipos foi, para o apóstolo, "sua coroa e alegria" (4.1). Quando Deus dá para um de seus servos a certeza de que conseguirá influenciar outros beneficamente, fazendo tudo aquilo que Deus deseja, ele o recompensa com um senso satisfatório de realização.

Como liderança significa "a influência para uma mudança benéfica", Jesus escolheu seus discípulos-líderes para produzirem o fruto duradouro ("o vosso fruto permaneça", Jo 15.16). Quando um líder pode ver que Deus o tem usado para melhorar as vidas e que aquelas mudanças positivas são a longo prazo, ele sente a recompensa. Ele tem realizado com êxito a missão que Deus escolhera para ele. Ele pode morrer sem aquele sentimento incômodo de que tem um débito não pago para com a humanidade (cf. Rm 1.14). A satisfação substitui esse sentimento importuno que aparece de uma obrigação não realizada.

As quantidades imensuráveis de esforço e sofrimento gastos são pagos pelo fato de um líder saber que ele tem sido usado por Deus ao máximo do seu potencial. Por isso, o descontentamento destrói as melhores intenções de um líder; ele conclui que Deus não o está usando. Billy Graham, ainda moço, reconheceu os esforços que um ministério evangelístico exigia. Ele orou pela compensação de ver pessoas sendo tocadas por uma fé salvadora em Cristo. "Se o Senhor não salvar pessoas através de mim, deixe-me morrer. Eu não quero viver". Deus muitas vezes responde a uma oração sincera como essa com bênçãos evidentes e sucesso espiritual. Pense no sentimento de realização que o Dr. Graham continua tendo, mesmo durante esses últimos dias de sua vida!

Fama

É comum, para os líderes, atrairem um grupo de seguidores. Isso aconteceu durante o ministério de Jesus. Marcos nos informa que: "Correu célere a fama de Jesus em todas as direções, por toda a circunvizinhança da Galiléia" (Mc 1.28). Quando Jesus deu de comer para as cinco mil pessoas temos uma indicação da extensão da divulgação de sua fama. Sua entrada triunfal em Jerusalém, narrada em todos os Evangelhos, demonstra que Jesus tinha ganhado a boa vontade das pessoas simples. A artimanha para matar Jesus foi causada principalmente pela inveja provocada pela sua fama crescente (Jo 11.47-50). Quanto mais um líder sobe na escada do sucesso, maior será a sua fama.

Paulo recebeu uma fama bem merecida devido à sua ousadia. Ele chegara à Tessalônica não como um pregador itinerante desconhecido. Os judeus arrastaram Jasom e alguns dos novos convertidos para levá-los diante das autoridades (eles não tinham encontrado Paulo) declarando: "Estes que têm transtornado o mundo chegaram também aqui" (At 17.6).

Quando um líder tem "boa fama" (cf. Fl 4.8), ele se sente rico, não em possessões materiais, mas no caloroso reconhecimento que as pessoas têm por ele. Os políticos honestos e dedicados, sem dúvida alguma, encontram em sua boa reputação o pagamento adequado pela sua auto-negação e esforço. A gratificação está no fato deles serem reconhecidos nos livros históricos, e que sua fama se estenda além do curto período da vida. Os ensinamentos da Bíblia não concordam com a fama como a motivação para procurar as posições de liderança, mas quando a motivação é correta, a fama que segue não é condenada. Maria da Betânia ungiu Jesus sem pensar em ganhar fama. Jesus, porém, disse: "Em verdade vos digo: onde for pregado em todo o mundo o evangelho, será também contado o que ela fez, para memória sua" (Mc 14.9).

Se olharmos mais de perto na fama, o acompanhante natural da liderança, ficaremos surpresos ao encontrar a advertência de Jesus: "Bem-aventurados sois quando, por minha causa, vos injuriarem, e vos perseguirem, e, mentindo, disserem todo mal contra vós" (Mt 5.11). A perseguição que os líderes cristãos sofrem, da parte de perseguidores mentirosos, é um sinal nítido da "boa fama" deles diante de Deus. "Regozijai-vos e exultai, porque é grande o vosso galardão nos céus; pois assim perseguiram aos profetas que viveram antes de vós" (v.12). Apesar da esperada oposição diabólica: "[...] é necessário que ele (o pastor/bispo) tenha o bom testemunho dos de fora" (1Tm 3.7). Os primeiros cristãos contaram "com a simpatia de todo o povo" (At 2.47). Essa é uma avaliação positiva que o cristianismo deles estava recebendo da comunidade.

Os líderes também precisam ter uma boa reputação na sociedade (At 6.3; Tt 1.6,7) para estarem aptos para cumprir com suas obrigações. Portanto, se eles tiverem uma maioria significativa de seus seguidores falando bem de si, poderão sentir-se bem recompensados por seu esforço sacrificial.

Preenchendo o que Está Faltando

Paulo escreveu para os colossenses que estava regozijando-se em seus sofrimentos por eles: "E preencho o que resta das aflições de Cristo, na minha carne, a favor do seu corpo, que é a igreja" (1.24). Claramente, os sofrimentos de que Paulo está se referindo são aquelas aflições que resultaram da sua liderança. Os colossenses mesmos não estavam sofrendo, mas as privações e o aprisionamento do apóstolo eram a conseqüência direta da escolha que Deus tinha feito para elevá-lo ao raro cume da liderança. Em Efésios, ele colocou desta forma: "a dispensação da graça de Deus a mim confiada para vós outros [...] a mim, o menor de todos os santos, me foi dada esta graça de pregar aos gentios o evangelho das insondáveis riquezas de Cristo" (Ef 3.2,8).

Em lugar algum, Paulo esconde o fato de que a escolha de Deus para ser um apóstolo-evangelista tinha uma recompensa nesta vida. Ele estava mais do que contente com o seu chamado, apesar do sofrimento intenso que isso acarretou (2Co 11.23-29). A razão para a sua alegria estava no privilégio que Deus lhe tinha concedido para cumprir uma função central na história da salvação. Humildemente conhecendo a si mesmo como o menor dos santos, a ele foi dado as chaves do Reino para abrir a porta da salvação para os gentios (compare com as chaves dadas a Pedro, Mt 16.19). Paulo não hesitou em ver a "graça de Deus" nessa designação especial.

Nenhum líder deve rejeitar o estresse, as longas horas, o trabalho intenso e tudo o mais que a sua posição envolve, porquanto ele está confiante de que Deus o tem escolhido para aquela função. Será melhor ainda, se ele, como Paulo, pode ver o significado eterno do privilégio de usar, pelo menos uma, das pequenas chaves do Reino. Ele tem motivo para regozijar-se. Se um líder sabe que está "preenchendo o que está faltando", ele deve sentir-se bem recompensado nesta vida.

Peso de Glória

Os autores do Novo Testamento enfatizam a recompensa futura que será concedida no Céu. Jesus ensinou diretamente e em parábolas que uma pessoa não deve procurar a recompensa em retorno dos investimentos do Reino, nesta vida. Todos aqueles que procuram a aprovação de homens porque eles dão esmolas, ou oram muito, ou jejuam, tiveram suas recompensas pagas completamente aqui. Não há nada mais para se esperar (Mt 6.1-18). Aqueles que, por outro lado, fazem essas coisas secretamente, serão recompensados por Deus. Desse ensino podemos concluir, confiantemente, que a liderança exercida para a glória de Deus será recompensada no mundo por vir.

A base para tal recompensa será o amor e o sacrifício que motivam as boas obras. É possível supor que os líderes fazem mais o bem do que os seguidores por causa das conseqüências benéficas que alcançam mais pessoas. Um copo de água fria oferecida no nome de Jesus para um caminhante sedento não perderá a sua recompensa. A obra precisa ser motivada pelo amor já que a frase "no nome de Jesus" indica isso.

Porém, aqueles que tenham deixado os familiares e suas casas para seguirem a Jesus e pela causa do Evangelho, receberão "o cêntuplo de casas, irmãos, irmãs, mães, filhos e campos, com perseguições; e, no mundo por vir, a vida eterna" (Mc 10.30). Muitos que são os primeiros serão os últimos, e os que são últimos serão os primeiros (v.30). Com essas palavras, Jesus outra vez mostra que ele tinha líderes em mente (ter mais do que uma mãe e ganhar cem casas, confirma essa conclusão). Jesus avisa que o mérito aparente pode ser contrário ao mérito verdadeiro perante o Juiz do universo. As motivações e os sentimentos interiores valem mais do que um simples abandono de família e de casa. Há muito mais sacrifício e amor nos corações de alguns servos do que nos de outros. Dois líderes podem, externamente, lidar com uma mesma tarefa debaixo de circunstâncias semelhantes: um será recompensado abundantemente; o outro, não será. Pense nas palavras de Paulo: "E ainda que eu distribua todos os meus bens entre os pobres e ainda que entregue o meu próprio corpo para ser queimado, se não tiver amor, nada disso me aproveitará" (1Co 13.3). Deus sabe o tamanho do sacrifício, tanto quanto o mérito da motivação (Lc 7.47). Ele recompensará os seus servos na proporção do amor deles.

As parábolas das Minas e dos Talentos (Lc 19.11-27 e Mt 25.14-30) conduzem para as recompensas futuras reservadas para os líderes que servem bem a seu Senhor nesta vida. O homem que recebera uma mina, e que rendeu dez, foi elogiado por seu mestre: "Muito bem, servo bom; porque foste fiel no pouco, terás autoridade sobre dez cidades" (Lc 19.17). Os servos que dobraram os seus talentos foram reconhecidos pela fidelidade deles sobre as coisas pequenas. Foram prometidos: "Sobre o muito te colocarei; entra no gozo do teu senhor" (Mt 25.21,23).

Temos pouca informação sobre a natureza da recompensa dada para trabalhadores fiéis. O texto indica que haverá dois tipos de recompensas. Um tipo é a aprovação expressa do Senhor. O segundo refere-se ao exercício da responsabilidade sobre algum tipo de reino. O retrato, embora não claro, focaliza para uma responsabilidade futura sobre outras pessoas, semelhante àquela de um governador benevolente. Isso se encaixa com a promessa dada para aqueles que perseverarem (2Tm 2.12), compartilhando o reinado como reis com Jesus Cristo. Um dos aspectos que líderes fiéis e dedicados podem antecipar é a participação na alegria do próprio Senhor.

Paulo ensina que os líderes da igreja que constroem o templo de Deus (a Igreja) com ouro, prata e pedras preciosas serão recompensados. O trabalho deles não sofrerá o prejuízo destrutivo do "fogo" no dia do juízo (1Co 3.13). Além da beleza e da permanência do trabalho que eles realizaram, esses bons líderes, regozijarão em ver o trabalho honrado. "Manifesta se tornará a obra de cada um", sugere que, a contribuição deles para o programa de construção eterno, de Deus, será um motivo de reconhecimento e a causa de grande regozijo. Os líderes ruins, por outro lado, terão muitas razões para o remorso. O trabalho deles, comparado à madeira, ao feno e ao restolho, será destruído pelo fogo do juízo. Mesmo sendo salvos, serão envergonhados pela perda (v.15). A esperada recompensa deles será transformada em cinzas inúteis.

Pior ainda, segundo Jesus, será o fim do mau líder que passou a "espancar os criados e as criadas, a comer, a beber e a embriagar-se". No lugar da recompensa, ele será castigado: "lançando-lhe a sorte com os infiéis" (Lc 12.45,46). Evidentemente, nessa passagem, Jesus tinha em vista os falsos líderes. Os homens, que como os "mercadejadores da Palavra" (2Co 2.17) têm os objetivos contrários aos do nosso Senhor. A avareza controla o coração deles, em vez do amor.

Em 2 Coríntios, Paulo vai além para descrever a recompensa do líder sofredor e piedoso como um "incomparável, eterno peso de glória (4.17). Em comparação com essa recompensa, todos os sofrimentos presentes tornam-se insignificantes. Como a pena de um passarinho em um prato de uma balança, e uma barra enorme de ouro no outro lado, não há como comparar o peso de um com o outro. A palavra "glória" no Antigo Testamento significa "peso" (*kabod*) indicando que, na cultura hebraica antiga, as riquezas e os valores eram vistos em termos do "peso" deles. A riqueza eterna, então, do bom servo que tem sofrido para ser apto a liderar outros para Deus, será recompensada com infindável e intensa alegria. Bem-aventurados, certamente, são aqueles que não fugiram da dor, nem negligenciaram o cuidado dos seus seguidores (Fp 2.20).

A nossa visão incerta do futuro de glória, prometido para os servos fiéis, pode receber um pouco de luz da oração sacerdotal de Jesus. Ele orou: "Eu lhes tenho transmitido a glória que me tens dado, para que sejam um, como nós o somos" (Jo 17.22). A glória dada por Jesus aos seus discípulos foi o privilégio de um relacionamento íntimo com ele. Por causa da conexão deles com ele, puderam manter um relacionamento próximo uns com os outros. A união imperfeita (por causa do pecado e da carne) que o Corpo de Cristo agora experimenta, através da presença do Espírito Santo (1Co 12.13; Ef 4.3), antecipa a união perfeita que aguarda os santos glorificados quando Jesus Cristo voltar. O apóstolo declarou que "o amor jamais acaba" (1Co 13.8). O amor divino perfeito que une todos os santos a Deus e, uns aos outros, é o que a glória futura representa. Agora, nós podemos entender a razão pela qual Jesus incluiu em sua oração a petição para os discípulos estarem com Cristo para ver a sua glória: "porque me amaste antes da fundação do mundo" (Jo 17.24). Outra vez, olhando para o futuro: "[...] farei conhecer (o nome do Pai) mais, para que o amor com que me tens amado esteja neles, e eu neles esteja" (Jo 17.26). A unidade futura com Deus e com os irmãos e irmãs remidos será a recompensa mais gloriosa que qualquer líder pode receber.

Há ainda uma outra questão. Como será esse futuro de glória, mais ou menos, na proporção da dedicação e sacrifício dos servos de Deus? Alguns líderes cristãos vivem basicamente de forma egoísta, com pouca preocupação com Deus e com as pessoas. Outros líderes vivem de forma dedicada e abnegada de maneira que um incomparável peso de glória não parece ser uma recompensa grande demais.

A melhor conclusão parece ser a seguinte: Deus vê esta vida como um tipo de escola ou vestibular para a eternidade. Os anos que temos o privilégio de viver nesta Terra não são realmente um tempo para ganhar mérito, mas para aumentar a nossa capacidade para amar a Deus e alegremente servi-lo, influenciando outras pessoas.

De alguma forma, somos como aqueles que se dedicaram à recreação, à diversão, ao esporte ou qualquer outra atividade prazerosa. À medida que uma pessoa vai dedicando-se a uma atividade específica, ela aumenta a sua capacidade de desfrutar daquilo. Permita-me tentar ilustrar essa idéia. Há alguns anos, a Orquestra Filarmônica de Nova Iorque veio à São Paulo. Um dos músicos era um cristão que decidiu convidar a minha família para o ensaio da orquestra no Anhembi, em São Paulo. Imagine, por um momento, que tivéssemos conosco um caipira do interior do Amazonas; uma pessoa que nunca tivesse ouvido qualquer música clássica. Imagine que nós o convidássemos para nos acompanhar e desfrutar dessa apresentação gratuita. Não precisaria nem dizer que após alguns minutos da apresentação o nosso convidado ficaria completamente entediado. Ele procuraria qualquer desculpa para fazer algo mais interessante e emocionante. O *hobby* do líder cristão é de deleitar-se no Senhor e de influenciar outros para Deus. Não creio que alguém, na eternidade, será capaz de determinar o quanto um outro santo estará se deleitando em Deus. Porém, não é provável que aqueles que têm investido mais no relacionamento deles com Deus e pago um alto preço no exercício de sua liderança piedosa, serão os que gozarão mais das recompensas da eternidade.

O apóstolo Pedro abre uma janela para o futuro no dia do retorno do nosso Senhor. Nossa herança futura, recebida pela graça através da morte e ressurreição de Cristo, é incorruptível, sem mácula e imarcescível. Ela não pode ser tocada pela decomposição da morte, tampouco pela mancha do pecado ou do definhamento que uma bela flor tem. Uma vez que a nossa fé está confirmada, "mesmo apurada pelo fogo", ela é destinada a redundar "em louvor, glória e honra na revelação de Jesus Cristo" (1Pe 1.4-7). Tudo isso é a causa para nos alegrarmos agora, mas muito mais no futuro quando o veremos face a face (1Co 13.12).

Quanto mais um líder ama o seu Senhor, maior será a sua alegria na vinda deste. Essa é a verdadeira e incomparável recompensa de todos aqueles que têm humilde e sacrificialmente servido a Deus nesta vida.

A visão celestial de João nos informa que aqueles que têm saído de grandes tribulações, tendo lavado suas vestimentas no sangue do cordeiro, ficarão de pé diante do trono de Deus e servirão a ele no seu santuário dia e noite. Deus estenderá sobre eles o seu tabernáculo. Não haverá mais fome e sede, e nem o calor do Sol os incomodará mais. O cordeiro será o pastor que os guiará para as fontes de água viva. Nem haverá mais lágrimas em seus olhos (Ap 7.14-17). Claramente, o mais desejável aspecto da recompensa futura de qualquer líder está na sua proximidade de Deus Pai e do Filho. Como base desse maravilhoso retrato das recompensas futuras, podemos ver a recompensa para a liderança abnegada, pois, quem derrama mais lágrimas do que o pastor que ama seu rebanho intensamente (At 20.19,31)? Quem será o mais apreciativo da função pastoral, apascentando e guiando as ovelhas para as fontes de água viva, senão aquele que durante a sua vida na Terra esforçou-se, sobremaneira, para fazer isso para o seu rebanho?

Considerações Finais

Procuramos esclarecer a natureza e a importância da liderança piedosa. Muito daquilo que se refere à direção secular e ao gerenciamento aplica-se à liderança cristã, com uma diferença significativa. As motivações que dirigem o desejo do homem do mundo a liderar, precisam ser contrastados com aqueles de um homem de Deus. A forma que uma pessoa lidera na política ou nos negócios do mundo e a forma que um homem piedoso lidera podem ser muito parecidos, mas as motivações devem ser bem diferentes.

124

No mundo, as riquezas, a fama e o reconhecimento motivam os líderes a persistir e serem os melhores. Porém, esses benefícios são temporários, restritos totalmente a esta vida curta. Mark Twain, um famoso autor americano, colocou essa realidade em sua autobiografia da seguinte forma: "Uma miríade de homens nascem; eles trabalham, suam e batalham pelo pão; eles reclamam, xingam e brigam; eles lutam pelas poucas vantagens de um sobre o outro. A velhice move-se lentamente em suas vidas e as enfermidades se seguem; vergonhas e humilhações abaixam o orgulho e a vaidade deles. Aqueles que eles amam lhes são tirados, e a alegria da vida é transformada em uma dolorosa mágoa. O peso da dor, do cuidado e da miséria crescem mais pesados a cada ano. Finalmente, a ambição está morta, o orgulho está morto, a vaidade está morta; o desejo de liberdade está no lugar deles. Ela vem finalmente - o único presente não envenenado que a Terra jamais teve para eles- e eles são banidos de um mundo onde eles não foram de importância alguma; onde eles não realizaram nada, onde eles eram um erro, e um fracasso, e uma tolice; onde eles não deixaram sinal algum de que tivessem existido -um mundo que os lamentará um dia e os esquecerá para sempre".[45]

Como se contrasta a perspectiva de um homem em Cristo. Um líder nega a si mesmo, sofre e pode até morrer para ajudar ao próximo por causa do constrangimento do amor de Cristo (2Co 5.14). A realização, a fama e a recompensa que acompanham a liderança nesta vida, são secundárias. Como Moisés, um líder servil prefere "ser maltratado junto com o povo de Deus a usufruir prazeres transitórios do pecado", porque "contempla o galardão" (Hb 11.25,26).

---

[45]Autobiography, vol II, p. 37, citado por Albertus Pieters, *"The Facts and Myste-ries os the Christian Faith*, Michigan: Grand Rapids, Eerdmans, 1933, p. 14.

A natureza da liderança que caracteriza os líderes mundanos e os líderes cristãos pode ser semelhante na aparência externa, mas, os efeitos nas vidas de seus seguidores necessitam ser distintos. Henry Ford idealizou um carro com a marca Ford em cada garagem americana para beneficiar a economia e facilitar a locomoção humana para o trabalho e o lazer. Porém, um líder como George Muller de Bristol, na Inglaterra, ou Oswald J. Smith da Igreja do Povo, em Toronto, serviram incansavelmente para o benefício de órfãos e promoveram o avanço do Evangelho através do mundo. Ford concentrou a sua visão nos benefícios desta vida. Muller e Smith focalizaram suas visões na eternidade.

Não podemos ignorar o *insight* na liderança que os não cristãos tem ganhado. Contudo, somente Deus e as Escrituras podem nos dar a verdadeira medida da liderança e o fim que toda a influência benéfica deve almejar. Mais de trezentos anos atrás, os escritores do Catecismo Menor Westminster responderam à questão mais crucial de todas: "Qual é o fim para o qual o homem foi criado"? A resposta é: "Para glorificar a Deus e gozar dele para sempre".

A Deus toda a glória!

Outros livros escritos pelo autor
publicados pela
EDIÇÕES VIDA NOVA

* A Felicidade Segundo Jesus: Reflexões sobre as bem-aventuranças, 1998.

* Fundamentos Bíblicos da Evangelização, 1996.

* Nos Passos de Jesus: Uma Exposição de 1 Pedro, 1993.

* O Mundo, a Carne e o Diabo, 1991.

* Lei, Graça e Santificação, 1990.

* Adoração Bíblica, 1987.

* Justiça Social e a Interpretação da Bíblia, 1984.

* Alegrai-vos no Senhor: Uma Exposição de Filipenses, 1984.

* A Escatologia do Novo Testamento, 1983.

* Disciplina na Igreja, 1983.

* Andai Nele: Exposição Bíblica de Colossenses, 1979.

* Tão Grande Salvação: Uma exposição Bíblica de Efésios, 1978.

* A Solidariedade da Raça: O Homem em Adão e em Cristo, 1964.

Impressão e Acabamento na Gráfica da
Associação Religiosa Imprensa da Fé
São Paulo - SP